萧乾 主编

新编文史笔记丛书

第一辑

7

京華風物

張國基題

北京市文史研究馆 编

章长炳 宁玉环 主编

中華書局

目录

史海拾贝

人物春秋

艺林奇葩

古今纵谈

雪泥鸿爪

丹青妙笔

工商史话

遗闻轶事

山川胜迹

序

萧　乾

读书界向来对野史有所偏爱。野史大多是信手拈来的历史片断，且往往出自亲历者之手。文直事核，不虚美，不隐恶，而文笔潇洒自如，意味隽永，自然朴实，篇幅不长；可以摊开来仔细咀嚼，也可供茶余酒后、行旅倥偬中，随手浏览。

鲁迅在《华盖集》中，曾几次对野史表示过好感。在《忽然想到》一文中写道：“历史上都写着中国的灵魂，指示着将来的命运，只因为涂饰太厚，废话太多，所以很不容易察出底细来。正如通过密叶投射在莓苔上面的月光，只看见点点碎影。但如看野史和杂记,可更容易了然了,因为他们究竟不必太摆史官的架子。"又在同书《这个与那个》一文中说:"野史和杂说自然也免不了有讹传,挟恩怨,但看往事却可以较分明,因为它究竟不像正史那样地装腔作势。"

全国文史研究馆所编的《新编文史笔记》丛书,内容也属野史杂说的范畴。我们希望这些以亲闻、亲见、亲历为主的轶事掌故、琐闻杂记,写人、事而摒除误会曲解,述历史而符合真实面目。

作为一种短隽有味,文字清奇而又雅俗共赏的文学体裁,笔记在中国具有悠久的传统。它始自魏晋,盛行于宋代。南朝刘义庆的《世说新语》,北宋沈括的《梦溪笔谈》,南宋陆游的《老学庵笔记》,明朝张岱的《陶庵梦忆》,清朝纪昀的《阅微草堂笔记》以及20世纪30年代初丰子恺的《缘缘堂随笔》,都是文学史上的奇葩。然而,近年来笔记乏人问津。因此,我们出这一套书,也包含着挽回颓势之意。

全国三十二所文史研究馆拥有雄厚的稿源,两千多位馆员和各馆联系的社会人士,都是丛书的撰稿人。他们都是文史界的耆宿,见多识广,阅历丰富:有的反对过帝制,有的在"五四"运动中扛过大旗,他们目睹过军阀的横行霸道,也经历过艰苦卓绝的八年抗战。这些历尽沧桑的饱学之士,他们的所见所闻,都是弥足珍贵的史料。

本丛书分辑出版，分别由各地文史研究馆编辑，内容亦以本乡本土为主。因此，各册势必具有浓厚的地方色彩。

本着笔记固有的传统，所收各文题材不嫌庞杂。举凡与文史有关的政治、经济、军事、文化、社会等方面，或记闻见杂事，或叙往昔交游，或忆社会百态，均在搜罗之列。时间跨度则自清末以迄1949年为止。这正是中华民族从闭关自守到走向世界，从落后羸弱到奋发图强，是天翻地覆、风起云涌的大半个世纪。其间，发生过多少可歌可泣的事迹，涌现过多少杰出的人物。以这一时间跨度为背景题材写出的笔记作品，必然是内容最为丰厚的。

在选稿标准上，我们坚持史料一定要真，内容要新；既要防止以讹传讹，也力避炒冷饭。在写法上务求短小精悍、生动活泼。每篇以千字为度，希望借此在文风方面，提倡一下简约。在版式上，则想做到既利于阅读，又便于携带。

恳切希望文史界方家及广大读者，不吝赐正。

太炎先生的临终遗言

章长炳

太炎先生青少年时期听过许多有关吕留良、张苍水、黄宗羲等人举义抗清的故事，后来又阅读了蒋良骐所著《东华录》，以及《扬州十日记》、《嘉定屠城纪略》、《明季稗史》等历史书籍，对于他的民族主义与爱国主义思想的形成，起了决定性的作用。

章氏家族都是些民族主义观念极深的人。自清兵入关以来，章家世世代代死人殡殓不穿清代服饰。太炎父亲章濬先生临终遗言也说："不敢违家教，入殓无加清服。"这件事对太炎先生的思想影响极深。

当日寇大举侵华的时候，太炎先生曾与熊希龄、马相伯、章士钊、黄炎培等数十人联名要求国民党中央政府“负起国防责任,联合全民总动员,收复失地,以延国命”。1932 年 2 月底,他以多病之躯,千里迢迢来到北京会晤张学良,要求张学良守土抗战。张学良十分感动,曾向太炎先生出示蒋介石要他不抵抗的手令，使先生大失所望。

1936 年 6 月 14 日上午 7 时 45 分，一代国学大师章太炎先生溘然辞世,终年六十有七。弥留之际，他断断续续地留下两句遗言:“设有异族入主中原,世世子孙毋食其官禄。”这句话充分表明太炎先生崇高的民族气节。

汪伪时期，据说日本天皇有国葬章太炎的意思，甚至企图拉拢太炎公子章导先生出任浙江省建设厅长，伪浙江省长傅筑隐曾向太炎夫人汤国梨游说,均遭到汤夫人严词拒绝。这是汤夫人及章导先生谨遵遗训的具体表现。

黄克强的家书

章长炳

黄兴,原名轸,字克强,湖南长沙人。1904 年在长沙读书时期，鉴于清廷政治的腐败和人民生活的艰难，黄兴便和陈天华、宋教仁等在长沙组织华兴会并策划起义。失败后，在赴日留学期间，又与孙中山先生共同组织中国同盟会。从1907年起，黄兴先后回国参加并指挥镇南关起义、云南河口起义，以及广州起义等。1911年3月29日，在著名的黄花岗起义战役中，黄兴亲自率领敢死队进攻广东总督署，失败后逃往香港。

1911年10月，当武昌首义爆发的时候，黄兴匆匆自香港来到武汉，被推举为革命起义军总司令，领导起义军民英勇作战。这时，其子黄一欧正在上海秘密联络各地革命力量，准备在上海、南京发动起义。有一天，黄一欧忽然接到其父从汉阳前线寄来一封信，拆开一看，仅仅只有八个字："一欧爱儿，努力杀贼！"丝毫未提及家事和日常生活，充分说明黄兴对革命的无限忠贞，早已将个人的一切置之度外。这八字家书也表现了黄兴将父子之情与革命大义结合在一起，实在感人至深。

武昌起义成功后，黄一欧加紧联络江浙各地民军，奋勇杀敌，于辛亥年(1911)12月2日一举攻克南京，给清军以致命的打击，没有辜负黄兴对他的殷切期望。

黄兴将军是民国的开国元勋，名垂青史。他逝世后，章太炎先生以沉痛的心情，亲笔书赠一副挽联：

无君则无民国

有史必有斯人

这副挽联虽然只有十二个字，但对黄兴在历史上的地位，作了充分的肯定。

民主革命的先驱路友于

宁玉环

位于北京西山脚下的万安公墓，苍松翠柏，幽静肃穆。中国共产党的创始人之一李大钊烈士陵园的南侧，就是路友于烈士之茔地。

路友于烈士，生于1895年3月，山东诸城人。他自幼聪颖好学，才华出众，1918年毕业于山东省立一中。他目睹北洋政府的腐败无能，报国心切，为寻求真理，东渡日本入早稻田大学学习。1920年回国后，先在北京《益世报》任编辑，在报上发表了许多反帝反封建的消息和文章。上海“五卅”惨案发生后，他满怀激愤地说：“瓜分之祸不消，坐视国家消亡，是我们一代人的莫大耻辱。”

1924年国民党第一次全国代表大会之后，受孙中山委派，李大钊、于右任、丁惟汾、路友于等人，在北京组织国民党北京执行部，路友于被选为执行部候补委员兼秘书，负责执行部的日常工作，在翠花胡同八号办公。

在李大钊的领导下，路友于担负了发动北

方革命，维护国共合作的许多具体工作，十分繁忙。1925年3月25日孙中山先生在北京逝世，路友于参加了治丧活动，负责治丧处的电文和函件处理。

孙中山逝世后，斗争形势更加错综复杂，路友于积极配合李大钊，在工人、学生中进行了更大规模的宣传活动。他热情接待进步青年学生，循循善诱地启发他们的革命觉悟，并积极组织群众游行示威、集会，公开向帝国主义和反动军阀进行斗争，如声援上海“五卅”惨案的斗争，反对段祺瑞召开的关税会议，他都亲自参与了组织和筹备。

1926年3月，面对日本帝国主义的军舰开进大沽口，段祺瑞政府却屈服退让，愤怒已极的北京群众，3月18日在天安门前召开国民大会，李大钊同志发表演说，号召群众用“五四”的精神，“五卅”的热血，打退帝国主义的联合进攻，反对军阀的卖国行径。会后，在李大钊和路友于带领下，几千名群众赴铁狮子胡同执政府进行请愿，递交了由路友于起草的请愿书。当时，反动卖国的段祺瑞政府，对手无寸铁的爱国群众进行了血腥镇压，开枪打死四十多人，打伤二百余人，制造了震惊全国的“三·一八”惨案。他和李大钊同志临危不惧，指挥群众撤退。事后又组织力量救护受伤群众，慰问死难者亲属，表现出一个革命者的高贵品质。

1927年4月6日，奉系军阀张作霖逮捕李

大钊、路友于等数十人。在监狱、法庭上，路友于作为要犯被审讯，身心备受摧残，在敌人的淫威面前，他宁死不屈，表现了对革命的无限忠贞。4月28日，他和李大钊等十九位烈士一起，壮烈牺牲在绞刑架下，年仅三十二岁。

蒋士立被刺前后

覃 钰

1915年，袁世凯窃国称帝。先父覃振在日本东京联络华侨及留日学生，在神田青年会开会，发表宣言，声罪致讨。有蒋士立者，系袁派驻东京之坐探，携带巨金收买党人及学生中意志薄弱之辈，被其诱惑者颇不乏人。

留日学生、爱国青年吴先梅，湖南省桃源县人。以先父为辛亥革命前辈，又是同乡，深为敬重，常来我家晤谈。吴为人慷慨有勇气，对蒋士立之所为，极为痛恨，又闻蒋欲在东京成立拥护袁世凯的筹安分会，更加怒不可遏，决心将其除掉。

某日风雨之夕，晚十点左右，吴先梅带手枪来到蒋士立的住所，他听说有个姓周的党人被蒋收买后，极力奉承，深得蒋的欢心，诸事多与他商量，倚为左右手。于是他右手握枪，左手敲门，高喊开门。里面一少年男子用日本话问"谁呀?” 吴先梅答:“是周先生教来会蒋先生的,有要紧话说。”

门开后,吴先梅一步跨入,笑问:“蒋先生休息了吗?”正说时,楼梯声响,少年说:“还没睡,下来的就是。”随即听蒋士立问道:“什么人这么晚来,又下雨,有什么急事?”吴先梅说:“周先生有秘密报告。”蒋看吴一眼,似觉有异,吴怕被识破,即朝蒋胸部打了一枪,蒋身体一晃,吴又连发两枪,蒋仰面倒下。虽受重伤,惜未毙命。

案发后,日本报纸纷纷发布号外,日警出动缉凶。袁世凯也悬赏捉拿凶手。驻日公使陆宗舆奉袁令,派人四出侦察。旋侦悉吴乃先父门生,认为系先父主谋,吴刺蒋次日,日警包围我家,将先父捉去。先父被捕后,先母命我去电车站等候吴先梅,她说:“此人胆大,可能来我家,那就会被捕。”我着好和服与邻居小朋友一同到电车站佯作玩耍,果有一辆车驶来,停在附近。吴下车, 我低声告诉他发生的一切。他听后回头转去。事后得知,吴得孙中山先生的援助,化装司炉乘法国邮轮回到上海。先父在日警厅,经受百般威逼,终以不得口供,于两月后获释出狱。

高君宇和石评梅

冯国定

高君宇和石评梅这对革命恋人，是20年代在文化界受到普遍称颂的人物。他们是1922年在山西同乡会结识并相爱的。高是中国共产党早期杰出的革命活动家，时在北京大学攻地质系本科；石评梅在北京女师大读书。

约在1923年秋，高君宇去西山碧云寺召开一个秘密会议，恰值深秋时节，他特意采一片枫叶，在叶上题了“满山秋色关不住，一片红叶寄相思”的诗句，寄给评梅。石在回复君宇的信中说：“枯萎的花篮，不敢承受这鲜红的叶儿。”这句话，不但表达了一个初恋者的谦卑与羞赧之情，同时在字里行间也透露着无限的惊喜之感。

1924年6月，高君宇挣脱了包办婚姻的枷锁，结束了和李寒心长达十年的婚姻悲剧。1924年9月，君宇由沪去粤，参加孙中山先生领导的平定商团叛乱的斗争，他在旅途写给评梅的信中说：“我是有两个世界的，一个世界一切都属于你的，……在另一个世界里，我是不属于你的，更不属于我自己，我只是历史使命的走卒。”同年10月，他从广州把一枚象征着纯洁爱情的“象牙戒指”寄给评梅。

石评梅在《象牙戒指》一文中，激情奔放地写道："我已决定戴着它和我的灵魂同世。"

"梅窠"是评梅居处的昵称。据说石有十位爱友，她们是：陆晶清、黄庐隐、小苹、小玲、素心、漱玉、婧君、梅隐、玉薇、露沙。梅窠是她们十人经常聚会的处所。她们都亲切地把评梅唤做"甘草"，是说谁都喜欢她，谁也离不开她。而屡遭军阀通缉的高君宇，在险恶的处境中，评梅舍命地掩护着他，于是梅窠又变成了高君宇的避难所了。

1925年君宇积劳病故，安葬于陶然亭湖畔。泣不成声的评梅，在墓碑上写道："君宇，我无力挽住你迅忽如彗星之生命，我只有把我剩下的泪流到你的坟头，直到我不能来看你的时候。"从此，她日日来到君宇墓地，临风凭吊，风雨无阻……

1928年评梅患脑病谢世，友人把她葬在陶然亭君宇墓旁。这位死后被女师大学生会誉为"女界杰出之秀"的人物，人们是会永远怀念着她的。

大义凛然的王冷斋

弧冠军

王冷斋是卢沟桥事变的见证人。1937年1月他任河北省第三行政区督察专员兼宛平县县长。

当时日军为扩大侵略，妄图在丰台大井村

建筑飞机场,意在切断北平通往卢沟桥的要道,以控制北平。为此,驻北平的日本特务机关长松井、丰台日本驻军旅团长河边及亲日分子陈某,对王冷斋多次威胁利诱,均未得逞。1937 年 3 月初,松井下帖请王冷斋等四人到台基厂日本特务机关部赴宴,席上日方拿出大井村地形图和购买土地"协议"文书,要王当场签字。松井起立说:"为了中日友好,希望专员阁下给予赞助。"王也起立答道:"松井大佐阁下设宴是为了中日友好,我们前来赴宴也是为了中日友好,我们希望宴席之间只能谈笑言欢,政事留待以后商议。如果现在谈判大井村土地,那就只有退席,即使因此而失去自由,也在所不惜。"王冷斋讲到最后非常激动,不觉用手拍了桌子。松井一看目的无法达到,只好把北平著名的日本艺妓等接来圆场。

1937 年 7 月 7 日夜,日军借口演习部队失落日兵一名,要进宛平城内搜查,企图诈取城池。王冷斋识破其伎俩予以拒绝,日军即向宛平城内开火。以后数十日激战多次,城内专署等处房屋被击塌。在战火纷飞的日子里,王冷斋临危不惧,带病工作。一方面率宛平保安队协同守城驻军抵抗日军进犯,另一方面他作为北平方面的谈判代表,同日军谈判交涉。在谈判的过程中,他坚持守土有责,寸土不让,表现了高度的民族气节和爱国精神。

抗战胜利后,王冷斋应远东国际军事法庭

之邀，前往东京为审判日本战犯出庭作证，控诉日军罪行，申张正义，受到当地华侨的热烈欢迎。后于1946年回国在北平定居，直至北平和平解放。

建国后，王冷斋曾任中央文史研究馆副馆长、北京市文史研究馆副馆长、第二届全国政协委员等职，1960年病逝。

民族之魂

纪清漪

1928年，张作霖和北伐军作战失败后，张采纳了日本军国主义者的建议，放弃华北，宣告东北独立，把军队由关内撤回关外。正当张本人撤退，而他的军队还大部分未撤回时，驻扎东北的日本关东军，唯恐张作霖有变，急欲用武力占领东北。于是布置了6月4日皇姑屯炸车事件，将张作霖、吴俊升炸死。

我和于毅夫、杜春晏、崔永吉、马毅等东北的一些青年知识分子，为抗日救国，在齐齐哈尔曾组织“新东北学会”。张作霖炸死后，学会便立刻行动起来，一方面在东北发动大规模学生和群众游行示威，呼吁张学良和平易帜，同时派彭震代表到奉天会见张学良。我到北平会同东北绅士田见龙一同去见北伐军白崇禧。

我返回齐齐哈尔时，为避免日军特务的注意，决定先乘船到大连，再乘车去奉天，会同彭震一起回齐齐哈尔。

我到大连后，住进一个小旅店。当我在旅客登记簿上刚写下“纪清漪”三个字，站在一旁的茶房马上伸手把那张登记纸（恰好是一页的开头）一下撕下来，把我的名字抠下填进嘴里，悄声说：“全大连市的旅店都收到了日本宪兵队的通知：见到这个人来，要马上报告。”他又说：“去奉天的这趟火车还有几分钟开，我马上送你走。你有钱买二等车票吗？我可以给你。”他匆忙把我和我的行李扔上一辆人力车，他在后面跟着跑。进了车站，他拉着我紧跑。火车已慢慢起动了，他对乘警说了一句什么，把我推上火车。他跑得满头大汗，站在月台上，轻松地微笑着向我招手。像似放下了多么重的一副担子。我素性倔强，很少流泪，这时，不知怎的竟抑制不住，两行热泪，几乎哭出声来。乘务员过来对我说：“是你父亲送你到奉天上学吧？别哭了！老头不容易啊，给你买二等票。”我点点头随他进入二等车厢。

我不知道他姓甚名谁、哪里人氏。从他那一条条自额头流到面颊上的汗水中仿佛看到了他那颗爱国的、火热的红心在跳动。这一印象似刀刻般至今仍清楚地留在我的脑海。每一回忆，便情不自禁的眼睛模糊起来，这是英雄的中华儿女，这是民族之魂，这是中华民族不可侮的表征。

“马日事变”起因一说

张国基

1927年我在毛泽东同志领导下，在武汉参预办理“中央农民讲习所”的工作。农讲所第一期于1927年3月开学，4月4日举行开学典礼。从开学到结业，仅半年时间，招收八百多人，其目的在于发动农民群众，组织农民协会。一时农民革命运动蓬勃发展，搞得轰轰烈烈，在“马日事变”前，湖南农民协会会员，达五百多万人，声势非常浩大。

“马日事变”是由蒋介石幕后策划，军阀许克祥在长沙演出的一幕反革命暴乱，其导火线是由于农民协会镇压了叶德辉而引发的。

叶德辉是前清翰林,在湖南有些名气,由于他思想封建保守,对当时风起云涌的农民运动自然持反对态度。当时湖南省农民协会总会设在长沙,最初并未触动叶德辉。但他不但反对农民运动,就连辛亥革命也要反对的。对于当时那样猛烈的农民革命运动,当然更难接受。他自以为有名气,群众不敢惹他,竟写了一副对联,恶毒咒骂农民协会。对联的上联:"稻粱菽,麦黍稷,一班杂种;"下联:"马牛羊,鸡犬豕,六畜成群"。湖南人最忌讳骂"杂种"、"畜牲",因而激怒了农民群众。农民协会把叶德辉抓来,叶自恃名气大,有后台靠山,竟与群众顽固对抗。农民协会第二天就举行公审大会,在大会上,质问叶两个问题。一是:"袁世凯僭称皇帝,那时你是不是劝进会长,"叶大言不惭地说:"是呀!我是劝进会长。"二是:"那副骂人的对联,是不是你作的?"叶也承认:"是我作的呀。"于是群情愤激,怒不可遏。主持大会的人向群众问道:"对这种人该不该杀?"下面喊声震天:"该杀!"就这样以迅雷不及掩耳的方式,立即执行枪决。等到各地来电援救时,已无济于事了。如果叶德辉承认错误,不与群众对抗,并能接受群众的批判,或许能取得群众的谅解,至少不会处以极刑。

这的确使国民党当局大为震惊,驻防长沙的军阀许克祥,于5月21日晚,突然袭击湖南省总工会、农民协会等团体,与工人纠察队发生

激烈战斗。次日工人被解除武装,反动派大肆屠杀共产党人。这就是“马日事变”的起因。

何思源看望孙敬修

丁岚生

何思源先生1926年从国外留学回来,到广州中山大学任教,原是准备从事教学工作的。不久经戴季陶推荐给蒋介石，任北伐军总司令部政治部副主任兼代主任（政治部主任戴季陶,未到职)。1928年开始任山东省政府教育厅长。从此一干十余年。抗日战争期间，他在鲁北打游击，仍然是以教育厅长兼鲁北行署主任。直到1942年,牟中珩继沈鸿烈任山东省政府主席,省府改组,他才改任民政厅长。所以从1928年至解放以前的二十多年中，他大部分时间是从事教育工作的。

由于长期从事教育工作，他对于作教师的人似乎有一种特殊的感情。在他任北平市长时期,1947年儿童节,曾特别买上礼物,带着两个女儿鲁丽、鲁美,去看望在广播电台播讲童话故事的小学教师孙敬修先生。

孙先生解放后已是社会知名人士，知名度甚高,受到普遍尊重。但在那个时代却不同,一般人,连我在内,多不知孙敬修为何许人。我是从

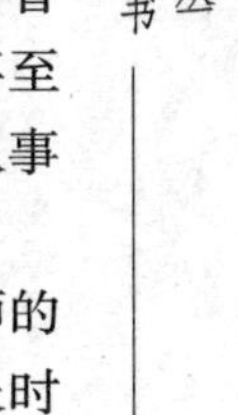

何先生口中才第一次知道有孙敬修这样一个人物。他说：鲁丽、鲁美经常守在收音机旁听孙敬修讲故事，聚精会神听得入迷，这引起了他的注意，于是他也和她们一起听，他听了几次，认为孙先生讲得实在好。他说："无怪孩子们这样入迷，他确有讲故事的才能，懂得儿童心理。这是一个有成绩、有贡献的人。他在儿童教育方面作了很好的工作。我要带孩子们去看他，让她们认识一下讲故事的人，应当向他致敬，表示感谢。"

他在说这些话的时候，流露出一种衷心喜悦的感情。说明他对于当时不为一般人所注意的孙敬修先生的工作，非常尊重，评价极高。

他去看望孙敬修先生之后，孙先生曾到市长家中回拜。那时的孙敬修，一身朴素的蓝布长衫，小小个子，清癯的面容，似乎还有点边幅不修。这是当年我第一次见到他所留下的印象。

回忆谢无量先生二三事

陈雪湄

谢无量的一生经历了无数坎坷，他少年时代第一次出游，正值义和团起义。游踪所至，深深体会到北方的民生疾苦和清廷对我民族的摧残；从而激发了他的革命意志。1907年，他在北京任京报馆主笔，第一个揭发了段芝贵购买女伶杨翠喜赠与清朝权贵，从而谋得黑龙江巡抚官衔的丑闻。1909年，段被撤职，《京报》旋亦被迫停刊。在北京期间，无量与李大钊、陈独秀相交甚笃，时相过从。无量还经常在《新青年》刊物上发表作品。

1917年他结识了孙中山先生，这是他一生中的转折点。这时他才二十几岁。从此投身革命，前进的步伐更坚定了。"五四"时期，无量用白话体写了三本小册子：《平民文学之两大文豪》(后改名为《马致远与罗贯中》)、《楚辞新论》和《古代政治思想》，这三部书都受到鲁迅和孙中山先生的赞扬。

抗战期间，无量为了逃出蒋帮魔掌，奔赴香港，到港后穷愁潦倒，一病几殆。杜月笙复奉命监视其行动，香港政府亦为虎作伥，多方干扰。有一次几乎把他逮捕。港报轰传其事。一时内地谣传他已在港逝世。友人马一浮、马君武分别发表诗文，寄其哀思。无量于此时致电巴黎邀我回国。我到香港后，见其一病至此，不禁黯然神伤，乃决定和他结婚，以便护理。1941年，杜月笙奉命将他送回重庆；我也去重庆交大分校任教。一年后他迁居成都，仍受监视，心脏病加重。我只得离职回蓉，陪他去青城山疗养。三个月后，他基本康复，又回到成都，以卖字为生。

在我的记忆中，卖字生涯，亦非一切平顺。解放后我们调来人民大学工作，居然还有人来敲诈勒索，胡说什么"他要求写的文章没有交

卷，理应退款”。弄得我们啼笑皆非。其实无量诗文皆由我誊清，经他核对后，编目存档，然后分发出去。我手边有旧档可查，岂容信口讹诈。无量向吴玉章校长汇报，请求指示。吴老笑着说：“看你急成这样子，即使是负债，也应还给人民，而不应退给这些贪婪的吸血鬼，何况有案可稽，不理会他就是了。”这样才摆脱最后一次的纠缠。在我的回忆中，这种情况真如一场恶梦。如果不是党的各级组织的关怀爱护和大力支持，其后果是不堪设想的。

我与宋教仁一家的交往

覃　钰

宋教仁先生是辛亥革命时期杰出的革命家和爱国主义者。他和先父覃振同为湖南桃源县人，早年同在漳江书院学习，以后又同在华兴会、同盟会共事，志同道合，相交莫逆。因此我们两家过从甚密，有通家之谊。我称宋先生“宋伯伯”。先母宋之昭为桃源县木塘坪宋家，排行第二，宋伯伯以二妹称之。两家虽同姓，实非同族。

1912 年宋伯伯在北京任政府农林总长时，住三贝子花园，即现在的北京动物园，我家住城内苏州胡同，先母常带我去看他。当时他一人在京，眷属仍在湖南桃源老家录溪。在我的记忆中，他身材高大，蓄八字胡，英俊和蔼，喜欢孩子，我乐于和他接近。当时我还是小学生，他教我读唐诗，先将诗词用毛笔正楷写在一个练习本上，然后教我读并讲解，并要我把这本子带回家，自己练习。有时他来我家，还要检查我是否能背诵他教过的诗。经过半年左右，我共学了十来首唐诗，可惜这珍贵的练习本，因日后先父奔走革命，我家多次迁徙，早已遗失了。

宋伯伯在当时全国革命阵营中威信很高，影响很大；他积极反对袁世凯的独裁专制，深为袁氏所忌。1913年春，被袁世凯派人刺杀于上海火车站，遇害时年仅三十一岁。革命失一健者，国家丧一英才，爱国之士，无不痛悼。

宋伯母方氏夫人为农村妇女，不识字，其子宋振吕，我称他乐大哥，当时不过十三岁。以后国民党政府发的抚恤金和爱国同仁捐助的钱，都委托宋伯伯生前挚友陈强先生代管。宋振吕亦到上海读书，住陈强先生家中，宋伯母常住桃源故乡，每逢暑假即到上海看望儿子，并由陈强先生处取回一部分生活费。她在沪时亦常住我家。

宋振吕读完中学后曾去日本留学，不久回国。1934年随先父覃振去欧洲考察司法，回国后到监察院审计部工作。1936年病故，年三十六岁。其夫人叶惠英，解放后受到政府照顾，生活安定，60年代病故。

白石老人与陈师曾

齐良迟 口述　卢　杰 整理

父亲初到北京时，家里经济条件较差，连个固定住处也没有，临时寄居法源寺，知名度不高，喜欢他的画的人还不多，同样大小的一张画，卖价比别人便宜，这使他很伤脑筋。

陈师曾当时在北京很有名气，他在琉璃厂看到我父亲卖画刻印的润格和刻的印章，很是喜欢，便主动来法源寺找他，彼此交谈，非常投机，终成莫逆之交。

父亲早年从胡沁园习工笔花鸟虫鱼，后来总觉得工笔画不能流畅笔机。有一天，陈师曾见到父亲画的梅花，这是学杨补之的画法，陈师曾劝我父亲改变画风。陈师曾是一个画写意画很有成就的人，父亲信了他的话。改变画风以后，父亲也确实喜欢自己这个时期的作品，自觉有八大山人遗风。陈师曾见了也连连说好，称赞父亲的路子走得对。这样画了一段时间，陈师曾对父亲说，你虽然笔下很有功夫，但是你的画显得太冷逸了，劝父亲再改。父亲又接受了他的意见，创出了一条用墨叶子配上带颜色的花的路子来。这一变，很为人们喜爱，父亲以十分感激的心情对陈师曾说："在画画的路子上，你对我帮助确实很大,真是难得。”

不久,陈师曾约父亲和他一起参加中日联合画展。父亲又高兴又担心。高兴的是,有这样一个好朋友,为自己宣传;担心的是,不知日本人对他的画究竟作何评价。他把自己的一些画拿给陈师曾,请他带到日本去。这一次展出获得很大成功,带去的画在日本统统以相当高的价钱卖出。父亲非常高兴,特意作了一首诗,以记其事:

曾点胭脂作杏花,
百金尺纸众争夸;
平生羞煞传名姓,
海国都知老画家。

在这以后,陈师曾又在巴黎举办了他和父亲的画展。日本人还拍了电影。白石老人的画在国外出了名,北京的一些字画商,认为有利可图,先后来找父亲买画。在北京的外国人和一些有声望的人,也陆续来家里买画,这样,父亲始名扬海内外,声誉日高。

陈师曾帮我父亲改变画风,走出了一条成功之路。因此,待我将要到小学读书的前两三年,父亲才有余力买下了跨车胡同十五号的房子。可惜这时陈师曾去世已三年了。父亲为失去挚友,痛哭流涕,为年少于他十三岁的陈师曾写下了感情真挚的诗句:

君我两个人,结交重相偎。
胸中俱能事,不以皮毛贵。

牛鬼与蛇神，常从腕底会。
君无我不进，我无君则退。
我言君自知，九原勿相昧。

白石老人为何不去香港

齐佛来

1948年夏天，北平远郊区已经被中国人民解放军紧紧包围，每当夜深人静，就清晰地听到国民党青年军在南苑、西山一带发射的惊恐枪声，也能隐约听到远处传来解放军的炮声，城内真是风声鹤唳，草木皆兵。

当时，由东北逃进关来与白石老人相识的国民党官员和朋友们，都主张老人离开北平，迁居香港。但老人总是听之任之，默默不语。

其所以如此，大概有两个原因：一是有些害怕，共产党对待艺术家们究竟怎样，不知道。尤其对他会怎么样，更不知道。二是有点舍不得几十年辛苦经营的那个家，丢了似乎可惜，带走又不可能。因此，顾虑重重，举棋不定。

解放前夕，北平城内的人心更加慌恐，气氛更加紧张，对外交通，除飞机来往外，完全中断，城区被围得水泄不通。这时白石老人的心情，更加沉重，更加忧伤。

有一天，他的同乡好友黎锦熙先生来跨车

胡同，见老人满面愁容，心情十分不好，便对老人说："您是不是因为北平被围才这样的？"老人急忙回答说："你看，城内这个样子，人心如此不安，能不叫人担忧着急吗？有些人劝我迁居香港，又有人叫我留在北平，究竟如何是好，使我寝食难安。"黎先生便慢慢对老人说："您老先生不用着急，我有个好消息告诉您，早几天我接到周恩来先生捎给我的一封信，里面特别提到您老，并托我前来看看您，要您好好保重身体，争取做个百岁老人，还说毛主席也嘱他代问您老好。"老人听到黎锦熙先生的这一席话后，顿时喜形于色，谈笑风生。过了一会，又皱着眉头问："这消息靠得住吗？"黎先生斩钉截铁地回答说："我怎能和您老开玩笑呢！"

从此，压在老人心上的一块大石头消失了，生活安然自在，直到和平解放北平。

对"三厅"工作的回忆

叶君健

1937年春天，我正准备离开东京的时候，突然被日本便衣特务逮捕，关押三个多月，天天受秘密审讯和拷打，要我承认是共产党，在日本搞抗日活动。到了卢沟桥事变前夕，日特查不出我抗日的具体证据，只好以"具有极端危险思想者”的罪名，驱逐我出境。

我回到上海时，时局相当紧张，我又匆匆回到武汉。这才得知，国共已合作抗战，中国工农红军改编成“国民革命军第八路军”。我在武汉大学的同学和朋友们都已经投身到抗战工作中去了。三个多月的日本监牢生活，我被折磨得像个重病患者，而且生活无着。武汉大学的校长王星拱介绍我到湖北随县的一个中学去教英文，以便在那里逐步恢复健康。

我在那个中学安静地教了几个月书。但我的心却安静不了，因为武汉的朋友们来信说，他们都在忙于抗日工作，组织“全国文艺界抗敌协会”，并且要我当发起人之一。我恨不得立即回到武汉，也投入到抗日的洪流中去。正在我苦恼的时候，1938 年初，武汉的孔罗荪给我来了电报，要求我立即回武汉。到了武汉以后，冯乃超和张光年就立即推荐我去“国民政府军事委员会政治部第三厅”工作。“三厅”的厅长是郭沫若，周恩来是政治部的副主任(正主任是陈诚)。这是国共第二次合作后，国民政府所给予共产党的唯一“地盘”。它的任务是搞抗日文化宣传，并团结一切抗日的文化人士。

我被分配到三厅第七处工作，任务是用英文对外宣传。当时三厅能较熟练地使用英语的人只有三个，即董雄键、朱伯琛和我。董从国民党的监狱刚放出来不久，健康受了极大损害，行动不灵；朱负责外事行政工作，整天守在办公室；只有我可以内坐外跑。所以我既搞笔译，又要口译和对外联络。那时，武汉是政治中心，外国记者和专程来中国解放区访问的文化人都经由武汉。他们知道三厅是共产党领导的文化单位，几乎都争取与之接触。此外，国民党象征性地每周给三厅三个对外广播的时间。我既要写广播稿，又要当广播员；而广播是在夜里，真是忙得不亦乐乎。此时，我的健康也逐渐恢复了。我的苦恼和抑郁情绪也一扫而空。

我的这段工作一直持续到武汉快要沦陷时为止。三厅撤离去重庆，我决定去香港。郭沫若批了我一个月的工资作旅费。我是搭最后一班火车离开汉口到香港去搞对外抗日宣传工作的。

胡也频、丁玲在济南

丁岚生

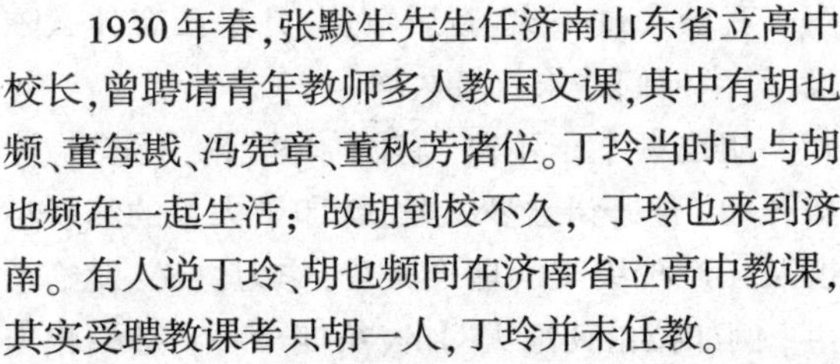

1930年春，张默生先生任济南山东省立高中校长，曾聘请青年教师多人教国文课，其中有胡也频、董每戡、冯宪章、董秋芳诸位。丁玲当时已与胡也频在一起生活；故胡到校不久，丁玲也来到济南。有人说丁玲、胡也频同在济南省立高中教课，其实受聘教课者只胡一人，丁玲并未任教。

那年我十八岁，读高中一年级第二学期。因那时高中学风比较自由，其他各班的课也可以去听，所以这几位先生的课我都听过。他们除董秋芳先生比较年长外，其他都是年轻人，没有什么老师架子。师生之间，比较融洽，学生和他们接近的很多。

丁玲初在高中出现时，穿一件粉红色、带长毛皮领子的大衣，丝袜、高跟鞋、涂口红。这一装束，在上海也许平常，但在济南却十分引人注目。她当时不过二十多岁，风华正茂，神采飞扬。不仅因为她是一位作家，只以其非凡的风度，在学生中已足引起轰动了。

有一次胡也频上堂讲课，丁玲也随他一起到教室，胡也频笑着向我们介绍："她也是学生，来听课的。"丁玲在后排听了一会儿，悄然而去，始终一言未发。那时几位青年教师，经常在一起高谈阔论，大声说笑，或热烈争辩；而丁玲总是一人坐在一边，一言不发，所以那时我们对她有一种印象：她是一个沉默寡言的人。

胡也频原住校内，丁玲到来后，他们在趵突泉西南方一条街上找到三间房子，赁屋而居。这房子我曾去过一次；新居草创，几乎没有什么陈设，好像他们并未打算久居。

胡也频个子不高，肩阔体健，精力充沛，性格开朗。他开讲普罗文学，选印了大量的苏联小说及无产阶级文学理论文章，作为讲义，发给学生。例如拉甫列涅夫写的《第四十一》，篇幅相当长，他全文印发给我们。这篇罗漫蒂克气味极浓的小说，在今天也许会有争议；但那时对年轻人却有极大的鼓舞作用,影响很大。他印发的讲义很多,但实际讲的不多。因为没有时间讲那么许多。只是印发了,由学生自己看。短短几个月,在校内掀起了一股学习无产阶级文艺的热潮。这就惊动了济南地方当局。有一天,胡也频忽然没有到校上课,据说省党部要抓他,他走了。这时大概在五、六月间,还不到暑假,所以他在高中任教实际不到一个学期。

近阅丁玲《也频与革命》一文,她说:“他的革命实践是从1930年春在济南高中教书时开始的。1930年11月参加了共产党。”可知他在高中教书时还不是共产党员,但已实际做了革命工作。

过 年

齐良迟 口述　卢　杰 整理

我们小时候,最高兴的事就是过年。这个时候,父亲也像我们一样地高兴,他总要买些爆竹让我们燃放,他站在屋里,隔着窗户看。年三十晚上,父亲总要接“财神”。到了这一天,天还没黑下来,就可以听到从街外传来奶声奶气的叫喊声:“送财神爷来啦!”那都是些八、九岁的小男孩或女孩,手里拿着一迭子印刷的财神爷像,挨家挨户地送。主人一听到送财神爷的来了，就高兴地从孩子手里接一张，给他几个铜板。阔人家就给一毛钱，相当于四十多个铜板，孩子们从不争多论少，只要给钱，他们就高兴，说声谢谢，赶快跑了。他们要争取时间，多送几家。

我们刚接了财神爷进门，不一会儿，又听到喊“送财神爷来啦”，是另外一个送财神爷的孩子来了。父亲听到喊声就对我说：“赶紧去！送财神爷的来了。”我说：“咱们不是刚接了财神爷吗？”父亲说：“你这个蠢子，快去接，财神爷还怕多呀！”这些送财神爷的，都是附近的孩子，他们也不知道哪个胡同送过，哪个胡同没送过，所以，常常送重了，甚至有的就是同一个孩子，或是兄弟俩，说这家给钱多，就再送一次“财神”。就这样，有时候一晚上我们能接好多财神爷。

三十晚上，我父亲还要还“诸天烛”的愿。就是要给天上所有的菩萨还愿。父亲拿出一个旧窗户框子，这种老式窗框，上面有很多小窗格子。在窗子的框格上钻上距离均等的四十八个眼儿，每一个眼里插一支蜡烛，这可能表示天下有四十八位菩萨，所以要供上四十八支蜡烛。那时候，我们还没安装电灯。白石老人晚间偶尔作画，都是点两盏煤油灯，所以，三十晚上，这四十八支蜡烛一齐点燃，全院子亮极了，我们也高兴极了。

父亲住在北房，这蜡烛就在院子里坐北朝南烧。他带着我们全家一齐朝南跪着磕三个头，各自默祷菩萨保佑，这样就觉得还了心愿，然后全家热热闹闹地吃一顿团圆饭。父亲不喜欢吃饺子，所以我们仍是按南方习俗吃米饭。

父亲是老年人，信神信佛。他有一尊铜铸的观世音菩萨佛像，是一尊伸出很多只手的“千手观音”。他说观世音菩萨是救苦救难的，不但他自己能够熟诵“观音心经”，而且还教我们背诵，由于我小时候背得很熟，现在纵然是七十岁的人了，也依然记得。这尊铜佛在父亲心目中占有重要位置，如果家里有什么不顺利，或是父亲有什么心愿，就觉得须使菩萨过得去才成，要给菩萨唱一台戏。

那时候，有一个叫“德顺皮影社”的戏班子，父亲就请他们来家唱皮影戏。戏唱完了，父亲就觉得还了愿，心里也痛快了。解放后，文化部知道我父亲爱皮影戏，曾派皮影戏班子来家演唱，那时，家里已有电灯，就把电灯拉到院子里唱，好不热闹。

我曾任马占山的辩护律师

纪清漪

1936年夏，我曾给马占山当辩护律师，为他办理马鸿认子一案。此案轰动一时，表面似为私人问题，而实质乃一政治事件。

有一名叫马鸿的七十多岁老头，声称他是河北丰润县人，马占山是他丢失已四十多年的儿子。他不但一再去天津马占山家哭闹，而且告到法院。天津检察院竟按刑法遗弃尊亲罪，对马占山提起公诉。天津市律师向马索两万元公费，否则拒绝为他出庭辩护。于是马的秘书杜荀若到北京来找我。出于对抗日英雄的尊敬，我答应为他义务辩护。

由于马占山江桥抗日，打了日本侵略者第一记耳光，深为国民党和日本侵略者所嫉恨。马占山告诉我，自从他1934年住到天津后，遇到种种麻烦。他说，1935年初，有五个特务阴谋策划在旧历年三十晚上，利用市民燃放鞭炮之际，向他家投掷炸弹，炸死他全家。不料特务内部临时发生矛盾。五人中一个叫马跛子的人到巡捕房出首告密，并亲自带领侦缉人员，逮捕了其余四人，并起出一箱炸弹。以后不久，其子马奎被特务骗到日租界中原公司楼上跳舞，突被绑票。绑匪派人向马索赎金百万元，不付撕票。他立即登报声明：“马奎行为不轨，我与他脱离父子关系，马奎在外一切行动，与我无关。”他说：“只当马奎打日本牺牲啦，我一个钱也没有。”特务企图又告失败。这次马鸿事件，是第三次了。

马鸿带着律师到法院出庭，他坚持要马占山亲自出庭，以便辨认。我提出三点要求：1.法院若能保证被告的人身安全，则他一定到庭。2.原告必须提出证明，是什么人，在什么地方，于什么条件下告诉他,马占山是他丢失的儿子。3.原告必须提出他儿子有何特征，而这特征又恰与被告具有者相符。老头脱口而出:“我儿子右耳根后有一拴马桩。”至此法院宣告退庭。

几天后法院用电话通知我，到马占山家开调查庭。主要检验他耳后有无拴马桩,参加人有法院刑庭庭长、书记官、检察院检察长、法院法医、天津总医院外科医师及新闻记者等。但未通知原告及其律师到场，详细检查了马占山两耳前后,并照了像。开庭时法院拿出放大照片要原告审视。宣判原告之诉驳回。轰动一时的马鸿认子案乃告结束。

台湾的故宫博物院

张思浚①

1948年，北平故宫博物院一部分宝藏从南京偷运到台湾台中雾峰乡的一座山下，筑洞藏宝,约有四千箱。1964年以后,就计划迁到台北市士林区外双溪,在此买了一座山,开洞藏宝,建厦展览。当时的故宫博物院管理委员会主任委员王云五,请蒋介石为故宫博物院新厦题额,

---

① 本文作者曾任台湾故宫博物院官员，于1986年回北京定居。

蒋欣然同意。过几天颁下后，是“国立中山博物院”七个字。这与故宫博物院的宗旨不同。故宫博物院从管理委员会委员到院中各员工皆认为自北平达上海，又至四川，再运南京，又运台中，现在又搬到台北，辛苦搬运三十多年的国宝，最后的目标是运回北平故宫博物院，物归原处。而用“中山博物院”的名称如何交待。蒋介石最后同意：“国立中山博物院”七个字仍嵌在大厦正门上方，另在大门东旁挂一牌，上书“国立故宫博物院”七个字。对外说：“故宫博物院暂用台湾中山博物院院厦，古物迁回北京后归还。”

台湾故宫博物院中各类藏品是极为丰富的，在台中雾峰时期，初步开箱照册点查，计为二十六万多件，搬到台北外双溪后，详加清查实际多出很多，分为书法、古画、碑帖、铜器、玉器、陶瓷、文房用具、雕漆、珐琅、雕刻、杂项、刺绣及缂丝、图书、文献等十四类。书法、古画、碑帖三类中实际有一万多件；铜器较清册多五分之一；玉器多五分之一；陶瓷多一点；文房用具多于清册数倍；雕漆及珐琅与清册所载大致相同；雕刻多出数件；杂项多三分之二以上；图书及文献照另一种方式分类多一倍以上。

三十几年来，各方捐赠及故宫博物院向外间购入的共有五六万件。捐赠书画中，以张群、罗家伦、王世杰所赠最为名贵。其中八大山人、石涛及其他三僧的书画是故宫中所缺的。台北“故博”旧藏只有王时敏的一幅山水画，上有石涛补的兰石,并题数语。"故博"所藏书画中,唐画仅有韩干的《牧马图》是真品,两匹肥马同行,一胡人骑居一匹马,人马神韵非凡。笔数不多,画幅不大,真是无价国宝。还有五代及北宋、南宋画三十多幅,也是无价珍品。

苏东忆旧

陈燕贻

1937年秋,我在印尼离开泗水,转到棉兰市的苏东中学工作。踏进校门,便听说教导主任陈君被当地政府以在校宣传政治的罪名驱逐出境。

棉兰市是苏门答腊岛东海岸的首府,气候宜人,华人特多,做买卖的几乎全是中国人。厦门话和普通话通用无阻。不少印尼当地居民也会说厦门话,华侨置身其间,就像生活在国内一样。这里的华侨教育,由一个侨商的联合组织,叫做糖米公会的主办,除苏东中学外,还有七八所小学。

荷兰殖民者在苏门答腊东海岸开发,经营大规模机械化的农庄,种植并加工橡胶、咖啡、茶、烟草、油棕和椰子等热带作物,贪婪地剥削当地劳动人民,牟取暴利。在农庄里出卖劳力的原住民和契约华工,却收入低微,过着牛马不如的生活,阶级矛盾十分尖锐。在这样的背景下,殖民政府对苏东一带的华侨学校，特别怀有戒心，深恐有文化、有思想的华侨联合印尼原住民共同反抗，危及它们的殖民统治。它们在政治部里豢养一批华人鹰犬。通过后者的灵敏嗅觉，密切监视华侨学校，防止华校教师进行爱国教育，禁止华校学生阅读课外书籍，为鞭长莫及的汉务司（荷印殖民政府专设监管华侨学校的机构）执行前哨镇压任务。

我到苏东中学不久，棉兰的政治部人员便来校检查。他们像猎犬般不声不响地闯入正在上课的教室突击搜查，在一个学生的书包里搜出一本课外读物。随后，这些如狼似虎的暗探又来到教员办公室，看见一位年青教员躺在靠椅里，把脚跷起架在桌子上。他们觉得这个教员没有礼貌，便不由分说，把他抓走。学生们看到自己的老师无端被捕，愤怒地结队到政治部要求放回老师。事情闹大了。当地政府以学生包围政治部妨碍治安为由，把苏东中学封闭。被搜出有课外书的那个班的班主任被勒令出境。后来几经交涉，苏东中学于三个月后获准复课。

华侨远离祖国，寄人篱下，在夹缝中挣扎求生，动辄得咎，处境十分困难。他们迫切希望有一个安定富强的祖国做他们的靠山。

旅缅杂忆

朱仲玉

我于1951年10月自缅甸仰光回国定居，至今已有四十年。回忆四十年前缅甸华侨社会中的爱国运动，仍历历如在目前。

旅缅华侨人数大约五十万左右，那里文教事业素称发达。1948年，仅仰光一地，就有《人民报》、《新仰光报》、《中国日报》、《中华商报》、《国民日报》等日、晚报五种。当时在缅华侨社会最负盛名的文化人有陈白澄、杨章熹、吴章彬、李军、赵宣扬、朱仲玉、黄铁耕、苏佐雄等数十人。各人的政治态度不同，其中陈白澄、杨章熹、吴章彬等人为了团结进步的文化人，倡议成立缅华文联。这一倡议很快得到许多人的赞同，终于在1949年初成立。

当时缅甸华侨学校的数量也很可观，仅仰光一地，著名学校就有华侨中学、南洋中学、华夏中学、中国女中、福建女师等五六所，共有教职员约百余人。另有中正中学、国民小学等则为旅缅国民党人所创办，教职员亦有数十人。在南洋中学任职的徐日琮、王一芒，在中国女中任职的周颖如等人，为团结旅缅教育界人士，倡议成立缅华教联。这一倡议也很快得到了热烈响应。

缅华文联与缅华教联的成立，对当时缅华社会的爱国民主运动起了重要的推动作用。

旅缅华侨青年对歌咏感兴趣的人很多，当时有“伊江”和“海波”两个合唱团把歌咏爱好者团结了起来。伊江合唱团为进步文化团体，主要练唱流行于抗日战争时期和解放战争时期的进步歌曲，并拥有一支小型乐队，成员多数为南洋中学师生、《人民报》、《新仰光报》的职工和部分缅华店员工会等团体的成员。海波合唱团主要练唱一些著名的传统歌曲和电影插曲，如《南屏晚钟》、《毕业歌》、《青青河边草》等，偶尔亦练唱抗日战争时期流行的《游击队歌》等歌曲和一些宗教歌曲。

旅缅华侨十分重视中国的传统节日春节，是日必举行盛大庆祝游行。游行队伍大都以龙舞、舞狮为先导，接着是国术(即武术)表演、化装表演(如高跷、戏曲等)。游行队伍锣鼓喧天，绵延数里，使整个华侨聚居地区沉浸于一片欢乐之中。1950年春节，游行队伍中首先出现了由六七个人组成的秧歌队，但人数太少。1951年春节，秧歌队人数增加，并出现了腰鼓队，开始引起人们的注意。从此，缅华春节游行队伍中除了龙舞、舞狮、国术等以外，有了秧歌、腰鼓等新的内容。

忆王雪涛

涂佩遐口述　纪　引整理

王雪涛先生是我国现代杰出的画家，他的作品，格调清新高雅，誉满海内外。作为与他共同生活了半个多世纪的结发妻子，往事历历，至今难忘。

我和王雪涛相识是在1923年。当时我俩都是北平国立艺术专科学校的学生(他比我高一年级)，并且都是校内“九友画社”的成员，经常见面，他给我的最初印象很好，待人和善、谦逊，我很愿意和他在一起。除了绘画，我俩还有一个共同的爱好——摄影，可以说，它是我们结为伉俪的媒介。我和王先生经常利用课余时间结伴到本校图案系主任黄怀英家中去学习拍照，接触的机会多了，彼此之间的了解也逐渐加深，慢慢地由艺术的交流发展为感情的结合。在黄先生的帮助下，1928年，我们结婚了。婚礼是在和平门附近的藕香榭中举行的。许多老师、学生前来祝贺，连当时在艺专教美术史的闻一多教授也亲临贺喜，十分热闹。饭后，我和王先生当场合作画了一幅题为《紫薇》的扇面作为纪念。我画红蔷薇，雪涛画蓝蔷薇，寓意永不分离。众人见之，齐声鼓掌。这幅扇面至今我仍珍藏着。

婚后，我们住在幽静的西山脚下，经常一起出去散步、写生。有时还租头小毛驴去香山挂甲塔、碧云寺等景点，随身带着馒头、黄瓜、凉开水，一去就是一天，到傍晚才回来。王先生酷爱大自然，对自然界的一草一木无不倾注无限深情。他时常将一些小昆虫带回家中，仔细观察，反复揣摩，久而久之，连一些小孩子都知道他喜欢小虫，常常送些小蜢蚱、小蜜蜂之类给他。因此他的绘画创作题材既往往出人意外，又在人意中，构思特别，独具神韵。

“七七”事变后，北平沦陷，我们不愿与日伪政权合作，双双辞去了艺专教师的职务。当时王先生已接到南方某地的聘书，拟悄悄离京，但我与二女儿突患重病，他只得留下照顾我们，没能成行。日本人为装饰门面，曾先后三次来我家找王先生，让他出任美院教授，王先生都有意避开，由我出面应付，每次都推说先生有病，拒绝邀请，最后来人急了，问我他是什么病，为什么老不在家，我说是肺病，需要到公园散步，换换新鲜空气。来人无奈，最后只得作罢。

由于失去了工作，全家四口只能靠王先生卖画来维持生计，生活艰苦。经常以酱豆腐、臭豆腐、豆芽菜之类下饭，但王先生从不叫苦，始终保持了中国人的民族气节！

清廷屈膝媚外一例

余谷似

先祖父沈家本，字子惇，乃清末保定知府，因支持义和团运动，初被清廷判处死刑，后免死罢官。

事情的经过是这样的：庚子前，驻在保定的法国传教士杜保录，因强占公私土地扩充教堂，当时的直隶臬台廷雍(字劭民)和我的祖父，对传教士的无理要求坚决抵制，于是，同那个传教士发生了矛盾。当八国联军攻入保定后，杜保录马上跳了出来，勾结联军，要挟清政府，以处决臬、府二人为保定息兵条件。腐败的清廷迫于帝国主义的军事压力，把臬台廷雍处决，先祖父陪绑后押回候秋审，几经交涉，幸免于死。

在八国联军入侵保定前夕，李鸿章给臬台廷雍一封信。这封信在信尾署了“名另具”的字样，附有李鸿章的红名帖一张。从内容口气看，系李鸿章的信无疑。此信在我家保存很久，是当时所录副本。从信的内容，可见朝廷屈膝媚外一斑。信的全文如下：

劭民尊兄大人阁下：启者，顷抵京，甫经下车，据翻译面称：今午晤英国窦使，称：赴保联军因雨迟发，现定十九日由京启程，各国队伍约合万人,系德统帅主谋,商令英提督领队前往保府。如有官军抗拒,即痛加剿洗,鸡犬不留。如不迎敌,可派弁目执白旗相迎。闻彼队亦执白旗(西例凡议和皆用白旗止兵)。彼此商定扎住之地,议明将保府观存教士及正定教士、监工人等,交其带还,敌队可不进城,但将城外房屋或城楼毁坏数处,以示薄罚。若能如此,保全多矣。务祈阁下严谕将士,勿轻用武挑衅,致启不测之祸。吕提督可令赴河间一带,统带所部,剿办拳匪。至正定教士等,务须电饬该镇府,星夜护送至定州,搭轮车进省,以期迅速。此事已与庆邸会商,望照办。勿误机宜,盼切,祷切。专此飞布,顺颂勋祺不一。

我国女排首次出国竞赛

张畹清

中国体育代表队参加远东运动会始于20年代。此前,运动会并无女子参加,为提倡女子体育,从1923年第六届运动会开始,才组织女子运动员参赛,先从排球(当时又称队球,每方3×4=12人)和网球开始。中国当局最初拟以广东女子排球队代表中国队出席,后考虑为了普及女子体育运动,应从全国范围选拔,乃从华东、华北、华南、华中各推荐若干名选手，于1923年4月22日开始，云集上海荆州路女青年会体育师范学校，进行训练和选拔，4月28日，经葛莱、巴加、袁保珠、王成栋、晏阳初夫人、金门夫人、司徒女士等评议，选出如下人员：华东：苏祖祺(沪民立女中)，张畹清、潘金楣(上海中国女子体操学校)，陈秀融、黄翠英、贺生曦(上海女青年会体育师范)，高爱鸣(沪稗文女中)，严兰荣、张秀金、梁兆纯(宁省一女师)，苏同文(苏省二女师)。华南：熊可欣、李首民、王星瑗、李晴雪(广东女子体育学校)。华北：郝雨春、高玉珍(天津省立一女师)，陈彩英、黄振球(北京贝满女中)。华中选手未来。

1923年5月12日，我国首次参加国际比赛的女运动员及随行人员一行二十余人，于上海杨树浦汇山码头搭日轮熊野丸赴日。15日晨抵神户，住在北区曾樱崎加岛银行俱乐部梅田修竹馆之楼上楼下共14间房内。

5月17日开始，我们还练习网球。开幕式上由总裁日本皇子秩父宫、大阪池上市长，远运会名誉会长王正廷代表林澄波等致词，我选手代表董守义致答词。从5月22日起，连日阴雨，5月26日晴，但场地潮湿，中国女队与日本女队决赛，最初中国队颇占优势，后日本队转败为胜，我方以11:21、4:21败北。

5月31日，女排返抵沪上，晚于荆州路青年会女体师礼堂开会，出席者有陈望道、侯可九、

慕淑琴及各有关学校代表五十余人，由选手代表陈秀融、严兰荣报告赴日经过，之后各选手劳燕分飞。

当年盛况，上海《申报》、《时事新报》、《时报》等均有记载，以《时报》记载最详，并先后有大幅女排合影三帧。从六届远运会以后，于1924年在武昌举行的三届全运会，1929年举行的华北运动会，1930年举行的华中运动会上，才陆续开始有女子参加的体育竞赛项目。

重庆大隧道惨案

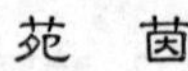
苑 茵

抗战时期，重庆被定为陪都。沦陷区的机关、学校以及人民团体，都纷纷迁到了重庆。于是，人口急剧增长，物资供应日趋紧张。重庆是座山城，嘉陵江两岸山峦起伏，地势陡峻。当时，为应付日寇的轰炸，便借助地形凿了许多防空洞。但多简陋，有的阴暗潮湿，有的狭窄憋闷。又因人口不断增多，每遇警报，防空洞内十分拥挤。重庆市政府为了解决在敌机空袭时市民们有躲避的处所，便从磁器口、石灰市、十八梯街挖通了一条大隧道，这个隧道挖成后，由于长期受雨水渗透，石质变得疏松，且一直无人管理维修，加上通风设备不良，空气污浊等，终于造成惨绝人寰的万人死亡大惨案。

民国三十年(1941)6月9日,敌机三五成群日夜不停地轮番轰炸重庆,有一枚炸弹可巧落在了大隧道洞口,震得隧道口落下了大量碎石、泥土。洞内许多人涌向洞口,但洞口堵塞,人们无法出来。前边的人出不去,后边的人又涌上来,使洞口更加堵塞。残暴的敌人非但日夜轰炸,还从低空不断地用机枪扫射;人们想从隧道里钻出来,是不可能了。再加上天气炎热、洞内空气污浊,缺水少食,终于导致了多人昏迷,以致大批人窒息而亡。

当时,我住在上清寺附近。空袭时,也准备躲进大隧道。因为这里是公共的隧道,谁都可以前来避难,不受限制。那天听到警报声,我立即向外跑出时,正好遇见了复旦大学老师端木凯先生。当时,他在行政院兼职,便顺手将我拉进了行政院的防空洞。

行政院的防空洞,是行政院长孔祥熙避难的地方,质地坚硬,设备优良。因此,我才能幸免于难。

警报解除之后,虽感到十分疲倦,但我听说十八梯洞内死了很多人,就急忙跑到了那里。只见许多尸体,一具具从洞里被拖了出来;窒息死亡的人,憋闷得眼球凸出,胸部被抓得皮开肉绽。说明死者当时极端痛苦。有的全家死亡,大大小小尸体堆积在洞口,惨不忍睹。

我含泪望着这些无辜遭难的善良同胞,心

中犹如刀绞。我向天发誓，中国人民永远不能忘记这个不共戴天的仇恨。至今，我还保存有当时现场的照片。半个世纪过去了，我已成为眼见这惨绝人寰的日寇杀害我国人民罪行的为数不多的见证人之一。

回忆国内第二次“三八”妇女节

张笃和

回忆 1927 年大革命时期由武昌省妇女协会和汉口市妇女协会联合召开的国内第二次国际三八劳动妇女节庆祝大会的空前盛况，事隔几十年，仍然历历在目，恍如昨日。

当日会场设在汉口济生三马路广场，宋庆龄为主席团主席，主持开会并作了报告。各界妇女到会的约近十万人，不仅有学生、工人、干部，连许多中年的小脚家庭妇女也参加了。会后示威游行，无一人掉队，沿途高呼口号，响彻云霄。当时的口号是：“全世界劳动妇女联合起来，打倒帝国主义，打倒封建主义”，“全中国的妇女团结起来，推翻吃人的旧礼教，恢复妇女被剥夺了的自由”，“要求妇女在政治上、经济上和男子平等”，“废除蓄婢纳妾制度，把童养媳从婆母的压迫下解放出来”等等。沿途，汉口的居民都出来观看，在社会上引起了强烈震动。

当时,我一面喊口号,一面想,如果真把广大受压迫妇女从黑暗的牢笼中解放出来了,我们这些妇女运动工作者,应当怎样来安置、帮助她们呢?首先想到的是:我们必须赶快办个工读学校,让青年妇女都能学得一些文化和一技之长,作为争取自立的基础才行。于是在会后汉口市妇协执委会第一次会议上,我即倡议开办工读学校,并以本会名义请汉口市几位名票友南铁笙等义务演戏募捐,作为开办基金。当时就得到妇协执委一致通过,决议即日组织筹资建校委员会,并推我为该会总务主任委员,我也就义不容辞地挑起了这副担子。当时汉口市委妇女部主委刘清扬及市妇协几位执委何葆贞(刘少奇夫人)、雷兴正均为共产党员,还有王文秋等都很热心赞助,汉口市政府也大力支持,公安局把接收来的一处会道门办的织布小工厂给工读学校作为基金,工务局让出巴黎街较大楼房一栋作为校舍。不数月间汉口市妇协附设的工读学校宣告成立,学科分:缝纫、烹调、织袜、石印;按成绩分高初两班。讵料学校成立不久,蒋介石叛变革命,国共分裂,当时任教的中共同志多数潜逃,我本人亦以先夫耿仲钊惨遭反动军阀暗杀,悲痛不能自已,亦无暇顾及工读学校之事,这一为妇女解放而苦心缔造的学校,旋即在反动派的迫害下,归于瓦解。

唐继尧与护国运动

符昭骞

1916—1924年我在唐继尧部工作，不独与唐共过患难，且曾参与一些机要，因此对唐在护国运动中的表现，耳闻目击较多，今提出一、二史实以供研究护国史料者的参考。

有人认为在民初护国运动中蔡锷是革命家，而对唐则贬之为军阀，这不是持平之论，唐继尧在护国运动中是有一定贡献的。

袁世凯在蓄谋称帝之初，他最怕的是国内西南方面的革命力量，因此在称帝前军事上已预作准备，如把他的两个心腹走狗、即他一手提拔的陆、海军次长陈宧和汤芗铭调到四川和湖南任督军，并把曹锟、吴佩孚调往西南，同时又把蔡锷(云南督军)调至北京为参政，暗中监视。自以为如此部署，即可高枕无忧，为所欲为了。

在蔡锷未赴京之先与当时任贵州督军的唐继尧在军事上已有准备。北上之前，蔡锷已荐唐继尧为滇督，复以刘显世替唐为黔督。后来蔡锷敢于断然决心倒袁，蔡、唐的密切合作，是一个有力的因素。

蔡锷抵京后，伪装对袁异常恭顺，对袁的帝制首先签名赞成，并终日以“酒色自娱”。袁世凯误认蔡既无反抗之迹象而胸无大志，由此监守松懈，蔡锷得趁机从天津上海逃回西南。袁世凯这时才知上当，但仍企图阴谋挽救，密令在昆明的李鸿祥为云南省长，以张子贞为云南督军，同时又密电在滇越路上的阿迷州（今改开远县）县长张玉崑，截杀蔡锷。但蔡回至云南的河口时，唐继尧即派其弟唐继虞往河口迎接蔡锷，并将张玉崑捕杀。在蔡锷入滇前，唐已秘密邀集中级以上军官商讨反袁，这是事实。就我所知，在袁氏称帝时，自 1915 年 11 月至次年 1 月，滇中文武反袁者甚众，文的有吕志伊、卢国藩、赵倅；武的有李根源、罗佩金、刘云峰、顾品珍、赵又新、董鸿勋、杨蓁、邓泰中(此时朱德也是激烈反袁者)等，唐继尧如不反袁，那么蔡锷根本就回不了昆明。

袁世凯当初曾阴谋离间唐继尧、蔡锷的关系，也曾以王位诱唐，但唐继尧始终不拥袁而倒袁，不为列位王侯而背弃革命，从这一点上看，我觉得唐继尧在护国一役上，就很有贡献。

当然反对袁世凯做皇帝，是当时全国人民的愿望，若无全国支援，仅凭黔、滇一隅之力，以三个梯团不足万人之众(实为八千多人)是不可能抵抗袁世凯的军事压力的。同时，还要补充一点，是海外华侨的踊跃捐献和国内某些人士“毁家纾难”的热心赞助，也是不可忽视的。

回忆围棋茶馆海丰轩

过旭初　涂雨公

1924年，段祺瑞在北京组织临时执政府，自任执政。因段爱下围棋，所以在北京出现了围棋热。北京的高棋如伊耀卿，外地来京的高棋如顾水如，都在执政府拿一份副官的薪水，一百五十元。从此，伊耀卿、顾水如都坐上了马车。

老北京人对下棋的茶馆称为“棋局子”，掌柜为“棋东”。20年代最著名的是宣武门内安儿胡同南边的海丰轩。它本身没有门面；走进一家烧饼铺，里面有两间小屋，这就是海丰轩了。掌柜姓沙，茶馆的棋客每人一把白磁小茶壶，对嘴儿喝。茶壶上写一个自报的字以免混淆。掌柜的茶壶上写的是“山”字，所以人都以“山字儿”呼之。棋客之间亦常以什么“字儿”相称。

“山字儿”的儿子已长大成人。父子二人都是单身汉。茶馆就是他们的家。到了晚上，把桌子一拼，铺上被褥就是床。“山字儿”叫他儿子不叫名字而叫小名“石头”。

客人每位水钱五分，光靠水钱维持不了两个人的生活，所以就以赌彩抽头解决问题。赌的彩很小，抽头二成。高棋们下几盘棋，赢的钱够吃一顿涮羊肉，就算不错。低份儿的输给高棋只当是交学费，并不认为是输钱，局终皆大欢喜。“山字儿”的棋有一定水平，可以下指导棋，也能进几毛钱。

常到海丰轩去的高棋门中，有两人有点特别，一个是雷溥华——聂卫平的第一个老师，他赢的钱全部送给“山字儿”，每天如是。其实他的家境并不富裕。雷溥华对低份儿的也乐于指点。雷溥华当时约二十岁，水平是超一流的。另一个高棋是五十岁的汪耘丰。按照茶馆的习惯是低份儿请求高份儿说：“我想跟您学一盘。”而汪耘丰他专门主动找让七八子的：“来！咱们来一盘。”不下还不行。“不下棋，干什么来啦！”等开了局，汪耘丰落子如飞，对方不由得跟着他跑，随手而下，几分钟就送他一盘。有人说，汪耘丰还有一个绝招，就是等对方晕头转向的时候，同时下两子把对方的棋冲开成为两段。有一个旁观者就见过汪耘丰的表演。那个受骗者连声说：“我真该死！我真该死！这儿有断，我都不知道！”

海丰轩之所以令人怀念，主要是掌柜“山字儿”父子人缘好。“山字儿”对高棋还有优待，免收水费五分。大约四十年后，海丰轩关了门，也许是“山字儿”死了，石头改作了道装打扮：蓄了发，戴上道冠，穿一件百衲道袍。但他并不住在道观而是住在已成为大杂院的白塔寺里，可见他并不是正式的道士。有些海丰轩的棋客路过白塔寺时总要进去送给三两元钱，他便含笑接受，并不多言。此时，他实际上已穷困潦倒，但没有穷困潦倒的表情。解放后，石头还住在白塔寺,依然穿着那件百衲道袍。

从孙中山先生的一封信说起

陈雪湄

在清理谢无量遗物时，发现孙中山先生写给他的一封信。这是抗战时期遗失，友人某君又从旧物店买来寄还他的。缅怀先烈，觉得这封信有深刻的历史意义，也引起我对无量的一连串回忆。

信的内容如下：

“无量先生大鉴：国家多难，全仗贤豪，群策群力，方能济事。望先生每日（旁注：本礼拜）下午四时驾临敝寓，会议进行，是所切祷。手此敬请大安。孙文”。

落款既未盖章，也未写年、月、日。但是封面的壹分邮票上盖了一个邮戳，说明此信是民国六年(1917)6 月 6 日在上海寄出的。

无量和孙中山先生订交于 1917 年。袁世凯篡国，志士多逃赴日本。无量则潜伏书肆编书，著有《中国大文学史》等多种。在商务印书馆出版的《马致远与罗贯中》、《楚辞新论》、《古代政治思想》三种，为孙中山先生所赞赏。1917 年，无量会见孙中山先生，谈论极欢。

无量少年时代曾在日本获读马克思的《资本论》，回国后与友人马一浮创办《翻译世界》月刊，介绍世界名著如斯宾塞著述之类。并在上海结识维新派人士如章太炎、邹容、章士钊诸人，参加《苏报》、《国民日报》等组织。当时他已醉心革命，在孙中山先生启发下，追随中山先生从事实业救国。尝与友人在安徽筹办"水东煤矿"数年，因资金短缺，未能发展。

1923 年，孙先生在广州筹备北伐，并改组国民党。无量游粤，孙先生留他在广州大学任教。随后又授以大本营秘书、参议等职。以后为对抗曹锟、吴佩孚，孙先生派无量和孙科为代表，赴北京、沈阳联络。又折返天津会见段祺瑞、冯玉祥、胡景翼诸人。使命告一段落，复回上海。值孙先生经沪北上，邀无量重游北京。时先生已卧病，到京后病日加剧，终致不起。先生逝世后停灵于中央公园，无量某日午夜前往凭吊，曾赋诗云："浅浅春池曲曲廊，阑干寸寸是回肠，多情花底缠绵月,纵改花阴莫改香。”抒发了无量对此后国是之演变忧心如焚。

1956 年冬,无量来京任教人民大学,适值中山先生九十诞辰纪念,无量赋诗述怀。其末段云:

“朣行曾攘臂,粤峤忆升堂。奉使燕关黑,回车塞草黄。弥留仍授命,感激竟佯狂。执绋西山晚,韬精北海藏。微躯沾疾病,薄力愧承当。世论终思禹,孤怀昔就汤。为邦赖贤哲,盛业正开张。空惭旧宾客,重到一凄凉。”

追念知己,其言恻怆。中山先生感人之深可以想见矣。

康有为声援“五四”运动

林克光

第一次世界大战结束后,于 1919 年 1 月召开巴黎和会。康有为对和会寄托很大希望,他致书北洋政府,要求利用和会力争废除不平等条约,尤其是外国在北京驻兵、津沽不得设防以及铁路不许中国用于调兵三条“必应废除”。他还分别致书中国出席巴黎和会代表团团长陆征祥,以及顾维钧、王正廷等代表,请在和会上力争华工利益,改定关税,废除辛丑条约,收回胶

州湾、旅顺、大连、威海卫、广州湾及澳门,收回奉天至海参崴的铁路,收回治外法权、内河航行权,定期撤回外国银行在华发行的纸币和所设邮局。对过去不平等条约中的所谓“优先权”、“最惠国”、“利益均沾”、“机会均等”、“范围地”等种种不平等名词,“概宜力争尽行删除”,使中国能与世界各国平等自立。

不料巴黎和会不但拒绝中国人民的合理要求,而且把德国在山东的一切特权转让给日本。严酷的事实粉碎了康有为对列强的幻想,使他认识到在列强那里“绝无公理,只有强权”。

消息传来,中国人民忍无可忍,爆发了五四反帝爱国运动,要求外争国权,内惩国贼,拒绝在和约上签字,取消二十一条,还我青岛。学生的爱国运动遭到北洋政府的镇压,数十名爱国学生被捕。

康有为坚决支持学生的爱国运动,于5月6日即发表了《请诛国贼救学生电》,谴责曹汝霖、章宗祥的卖国罪行,高度赞扬学生的爱国义举,称:“学生此举,真可谓代表四万万之民意,代伸四万万之民权,以讨国贼者。”是民国八年来真民意、真民权的开端,四万万人无不欢呼称快。他号召全国人民行动起来,营救被捕学生,斥责北洋政府“专横卖国”,要求政府诛卖国贼,释放被捕学生。

8月,他致电日本首相犬养毅,令其转达日本内阁,谴责日本的侵略行径。警告日本政府说：青岛“必不能强吞下咽”，要求日本归还青岛，撤驻兵，还铁路，取消二十一条，表达了中国人民的严正立场。总之，康有为曾大声疾呼，声援“五四”伟大的爱国运动。

“二陈汤”送命

张笃和

“二陈汤”原为中药名，用陈皮等药物制成的汤剂，能开胃健脾，帮助消化，怎么会送命呢？这里要讲的是一则历史故事。

袁世凯称帝前，有三名心腹，一名陈宧，任四川督军，一名陈树藩，任陕西督军；一名汤芗铭，任湖南督军。这三人都是袁世凯亲手培植起来的，对袁都表示效忠，特别是陈宧素有“足智多谋，善用权术”之名，袁世凯很信任他，提拔他当了陆、海军次长。袁蓄谋称帝，在军事上也预作准备，特派陈宧任四川督军。陈由北京动身前，曾跪请袁世凯当皇帝，袁不表态，他就不起立；但等西南护国军逼近成都，他又电袁反对帝制；同时陕西督军陈树藩、湖南督军汤芗铭也通电反对帝制。袁见他们三人都是自己亲手培植起来的心腹爪牙，竟也来反对他，遂一气而亡，这就是所谓“二陈汤”送命。

逊帝溥仪与婉容婚礼纪实

李克非

民国十一年(1922)农历十一月初一，清废帝爱新觉罗·溥仪在北京举行结婚典礼。

那时，溥仪崇尚西学，他说："我选后但重才学，不重门第，即使贫家女，只要才貌好，我也愿娶之为妻。"于是选定侍卫荣源的女儿婉容为后。婉容曾在外国教会办的荣华女子学校读书，因此学到了一些文化知识，对英语、音乐、芭蕾舞、交际舞等都很娴熟。

溥仪婚礼，经太傅及亲近王公大臣聚议，决定力事撙节。一则因皇室经费拮据；二则现已逊位，不宜再事铺张。婚典筹备处总机关是内务府。先期皇家过礼，共六亭，六十四抬，礼仪繁多。溥仪过礼，则大不如前。皇后家在东城帽儿胡同，皇妃家在西城墙框胡同。过礼时，抬至帽儿胡同，虽也有六亭和六十四抬，但皇家的威严气氛全无。这六亭中，第一座是玉玺，以示将来皇后即为皇帝的监玺人；第二座承祖宗之命；第三座为一木棍，这是顺治时皇后用来责打宫女的，由此相袭，一直为皇后执掌。第四、第五、第六为皇上圣旨、太后懿旨及婚书。上述肩亭抬至帽儿胡同，婉容之父即出门摆出香案跪接。到了结婚之日,原亭仍抬回宫去。

迎亲之日,皇后于凌晨二时,由帽儿胡同起辇入宫。许多人拼得一夜不眠,去看热闹,因为这是千载难逢的机会。据熟悉清宫掌故者说,此次皇帝婚礼,是历代最简陋的了,所有奇奇怪怪的仪仗,都没有抬出来。这次迎亲的,只有军乐队七、八班,挂灯二百余副,伞十余柄。肩亭六座,外罩黄绫。后乘凤辇,四十人抬之而行。前有黄绫轿车四乘,作为引导。

凌晨三时,婉容的凤辇入宫,爆竹之声齐发,很是热闹一阵。当时入宫观礼者,除清室官吏之外,均凭观礼券入乾清门观瞻。外国使馆、民国政府各衙门皆由内务府先期赠送观礼券。其他公私团体,如具公函往取也不拒绝。当时正值冬天,寒风凛烈,夜色昏暗,人们出于好奇,联翩往观者还是不少。

婚礼前,除用红封套送现金支票与钞票者外,馈赠礼品的人也不少。例如,黎元洪送礼八件,计:绸缎两色,幛一顶,对联一副,上书“中华民国大总统黎元洪赠宣统大皇帝”,联文是“延年益寿”和“富贵吉祥”。并特派黄开文前往祝贺。另据内务府大臣绍英谈,当时所用舆仗,并非特制,而是袁世凯准备当皇帝时置备的,这套东西弃置多年,此番借用,真可谓是废物利用了。

皇姑屯炸车案侧闻

张联棻

我最好的朋友靳云鹏，是张作霖的儿女亲家。1928 年 6 月 3 日张作霖由北京回奉天，靳云鹏也同车出发，准备同张作霖一起出关。可是当专车开到天津站停下来的时候，忽然靳宅(靳当时家住天津)来了一个副官，上车报告靳云鹏说，日本领事馆派人送信，今晚九点钟，有靳的好友板西利八郎由日本到天津同他商量关于山东鲁大公司的重要问题 (靳是山东鲁大公司的董事长)，请他即刻回宅。靳云鹏听了，只好下了火车，随他的副官回家。他到了家里，静候一夜，并没有这回事，心里非常纳闷。

第二天早晨，靳接到电报，才知道张作霖在皇姑屯被炸身死，很是惊异。他细加思索，心中才明白过来，原来日本领事馆送的是个假信，分明是把他骗下车来，免得随张作霖一同被炸死。

这一件事是靳云鹏亲口对我说的，由此也可以证明，1928 年皇姑屯炸车案乃是日本人的预谋。

何思源反对崇洋媚外

丁岚生

何思源先生生于1896年。他经历了辛亥革命、“五四”运动、北伐及抗日战争，最后致力于和平解放北京，跟共产党走社会主义道路。在这一联串的重大历史变革中，他都是直接参预者，而不是一个随大流的虚声附和者。有这样的经历，走过这样曲折漫长的历史道路，其阅历自然是相当丰富的。但是他们那一代知识分子，经过辛亥革命、“五四”运动、北伐战争，后来有的从政，有的教学，有的从事学术研究，职业不同，道路各异，但大致有一个共同点，就是都热爱祖国。从他们的青年时期,就抱着致国家于富强,使积弱的民族振兴起来的思想和愿望。他们的国家民族观念都十分强烈,而且非常敏感,因之在一些小事上也随时表现出来。

何先生青年时期留学国外,历美、德、法三国,长达七年之久。他的夫人是法国人,法语是他们家庭日常用语之一,子女从幼都能说法语。他有很多外国朋友,家中也经常接待外国客人。但在他的家庭生活中,土气压倒洋气,很少洋味。1946 年冬,他由山东省政府主席调任北平市长。他由济南到北平履新赴任,国民党济南军方提供一架军用运输机,作为他的专机。驻济南的美国军方,出于对他的友谊和尊重,也提供一架专机。但他本人坚持要坐连正常座位也没有的中国军用运输机,不坐条件更好的美国飞机。

他任北平市长时期,美国纸烟正在流行,是当时的所谓高级香烟。市政府总务科每天用两包美国骆驼牌纸烟供市长办公室待客之用。他看到这种纸烟时说:“难道中国不能生产纸烟吗?为什么一定要用外国烟?”要我告诉总务科:以后一律不准用外国烟待客。这似乎都是微不足道的小事,但他却非常认真。对于那种外国一切都好,把外国人视为高不可攀的思想,他十分反感。他绝非排外,但更厌恶崇洋。

岁月往矣,斯人已逝,但有关他的这类小事,却仍常留在我的记忆中。

"章疯子"与"赵病翁"

章长炳

太炎先生的学术成就是举世公认的，因而被誉为国学大师。其实，他对革命的贡献，应该说，比对学术的贡献不知要大多少倍。

1936年，鲁迅在病危之际，得悉太炎先生逝世，十分悲痛，扶病写了《关于太炎先生二三事》一文，其中曾有如下一段话："先生的业绩，留在革命史上的，实在比在学术史上还要大。"又说："考其生平，以大勋章作扇坠，临总统府之门，大诟袁世凯的包藏祸心者，并世无第二人；七被追捕，三入牢狱，而革命之志终不屈挠者，并世亦无第二人。"这是鲁迅对他的先师所作的公允的评价，肯定了太炎先生辉煌的革命业绩。

太炎一生嫉恶如仇，对清廷、对袁世凯、对一切腐朽复辟势力，无不恨之入骨。面对这些人，自然怒火中烧，怒目圆睁，痛加贬斥。于是，这些人就认为"章太炎是疯子"。当太炎大闹总统府的时候，袁世凯就说过这样的话："彼一疯子，我何必与他认真。"可是，广大人民群众却认为章太炎并不疯，做得对，好得很。这就因为各人看问题的立场不同，因而得出了不同的结论。

云南的赵病翁(即赵藩)在《寄章太炎先生绝

句》中，一语道破了太炎的“疯”和他自己的“病”的真相。诗曰：

君为浙西章疯子，我是滇南赵病翁；
先生岂狂我岂病，补天浴日两心同。

这首诗充分表达赵藩十分理解太炎的心情，并愿与太炎共同为革命事业努力奋斗。

赵藩(1851—1928)，云南大理人，清末曾任四川按察使，目睹清廷日益腐败，丧权辱国，决意辞官还乡。后清廷屡召入京做官，赵藩称病不就，因此，时人呼之为赵病翁。与此同时，赵藩十分同情和支持孙中山先生的革命活动。袁世凯软禁章太炎，引起赵藩的极大愤慨，因而写了上面这首诗。

辛亥革命后，赵藩曾任广州军政府交通部长和云南省图书馆馆长等职。

聂耳在北平的日子

刘　岳

1932年8月11日正午12时半，一个21岁的青年在北平车站走下了火车。这就是后来名闻中外的革命音乐家聂耳。他因为反对国民党当局，愤然离开上海，仅带了一把小提琴，孤身来到北平，住进了宣外教场头条的云南会馆。

不久，北平“剧联”的于伶来到云南会馆与

聂耳见面,并将他接到北平剧联,与宋之的、邸力、周英学相识。从此,聂耳就积极投身北平剧联的演出。在繁华的十字街头,他与剧联同仁搞飞行演出:首先由聂耳独唱,大家鼓掌、欢呼,过往行人驻足聆听,然后大家合唱。在歌声中,一个东北老大娘坐在地上,哭诉日寇汉奸的罪行,一个留着小胡子的汉奸正追逐欺侮中国妇女。此时,人群中爆发出打汉奸的怒吼声。待到国民党警察赶来干涉,大家一哄而散,化整为零,再到另一个预定地点演出。除在街头演出外,聂耳还热情地到学校演出。9 月 28 日,在朝阳大学,他扮演《非洲博士》中的博士,校内外的云南籍学生组成纠察队,保护他的安全。10 月 18 日在清华大学为东北义勇军募捐义演,聂耳用小提琴演奏《少年先锋歌》、《国际歌》,节目主办者进行劝阻,但在剧联同志支持下,他坚持奏完《国际歌》;11 月 5 日,在北平商学院,聂耳扮演《血衣》中的老工人,寒冷的天气冻得他直发抖,演得十分成功。应宋之的邀请,他还为《戏剧新闻》撰写《上海电影界》一文。

聂耳在北平除积极参加左翼戏剧、音乐活动外,还十分刻苦地学习音乐。到北平的当天,没有乐谱架,就用破木板动手做;到俄国私人教师托洛夫那里学习小提琴,因收费昂贵他只上了四次课,但受到极高的赞誉;为搜集民间音乐素材,他深入到天桥艺人中间;为学习音乐理论,他常常看书至深夜。

郭沫若在北大的讲演

张守常

1949年初春，许多知名的民主人士来到北京，一天，侯外庐先生和郭沫若先生应邀来北京大学讲演，地点就在红楼北面的大操场——当时北京学生运动的中心“民主广场”。这一天前来听讲的不只是北大学生，也不只是各大学的学生，许多中学生也来了，那真是人山人海。我则抢在广场西侧的饭厅台阶近旁站好了位置，因为讲演是要以饭厅台阶作讲台的。

侯先生讲的是关于“民主”的一个题目，我尚记得他讲的最后几句：“到共产主义社会民主就没有了，民主就进入历史博物馆了。”他的意思是民主是一定历史范畴的事，到共产主义社会，没有不民主了，所以也就没有民主了。侯先生讲得很好，大家报以热烈的掌声。

下面是郭老接着讲，他一开口就把全场的热烈气氛推向了高潮。时当早春，然而已是和煦天气，郭老尚穿着皮领大衣向满场成千上万的青年学生巡视了一眼，便像朗诵诗一样地开始讲了：“青年啊——人类的春天！我陶醉啦，今天，我陶醉在春天的海洋里啦！”一下子全场爆发了热烈掌声，经久不息，还带有欢呼和跳跃，真像是海洋里涌起了一阵阵春天的波涛。多少年后我有几次向青年学生讲起郭老的这几句诗一般的讲话,还引起强烈的反应。

当时在非常热烈的气氛中郭老转入正题。这天他讲的题目是“谁领导了北伐和抗战”。他说:用他的家乡四川话来说,来和大家摆摆“龙门阵”,他以参加北伐和抗战的亲身经历,用讲故事的方式,具体生动地讲了中国共产党在北伐和抗战中所起的领导作用,很有说服力。

讲桌上有一杯供他润喉的茶水,在他的讲演快结束的时候,他的一个手式打得太猛了,把那杯子打在地上摔碎了。但他并未因此而走神,而停顿,而是接着讲道:“把反动派就像这只茶杯一样,把它打得粉碎!”他把刚打碎的茶杯信手拈来,引为比喻,他的这一临场机智,更使大家觉得十分开心,于是鼓掌、欢呼,还有哈哈笑声。在全场又一次涌起异常热烈的波涛中,他结束了讲演。

郭老的这次讲演非常精彩,但四十多年过去了,尚未见之于文字记载;现趁《新编文史笔记》丛书征稿之际,把它写出来,以告未听到那次讲演的人们。

邵飘萍智取新闻

楚　舒

第一次世界大战开始不久，袁世凯政府面临“参战还是中立”的问题，举棋不定。当时的中国国务总理段祺瑞召集内阁会议，在一片吵闹声中作出决策，但迟迟不敢公之于众。为了保密，所有政府机关还停止会客三天。中外记者使尽浑身解数欲抢发消息而终无所获。

当时年方二十一岁的新闻记者邵飘萍决心孤身深入“虎穴”。他第一次驱车直闯国务院，结果被挡；第二次借来一辆挂有总统府车牌的汽车，果然长驱直入，他向段祺瑞的传达长递上名片，请求禀报，却被拒之门外。他当即掏出一叠钞票，取出其中的一半，递给传达长说：“段总理接见与否没有关系，只求禀一声。这一半钱你买茶叶喝；万一接见，另一半尽数归您。”传达长将钱往腰间一塞，入内禀报去了。一会，他举示名片，高喊一声：“请！”邵飘萍大摇大摆走进去。段祺瑞绝口不谈和战决定。邵飘萍七说八说，当面立下誓约：三天之内，如在北京走漏风声，愿受处分，并以全家生命财产作为担保。结果，段终于向邵披露了中国参加协约国(以英、法、俄为一方)对同盟国(以德、奥、意为一方)作战的决定，

甚至连其中细节也吐露无遗。

邵得此大新闻，如获至宝，立即驱车直奔电报局，以密码传送至上海新、申两报，以特大新闻发表。数十万份“号外”当即撒遍上海滩，热闹非凡。但当时津浦铁路尚未通车，京沪间交通甚为不便，五天后，“号外”才慢慢流入北京，段祺瑞才如梦初醒。但消息是从上海倒回的，段对邵飘萍无可奈何。

第一位揭露“田中奏折”的人

颜仪民

北京文史馆馆员纪清漪，是纪晓岚的直系七世孙女，这是一位勇敢的、爱国的女性。1925年，她在北大上学时，曾主编《新东北》半月刊，兼北平《华北日报》的副刊编辑。

有一次，纪清漪到报社送稿子，总编安怀音正聚精会神地看一个文件，神情很激动，对纪说：“你是研究东北问题的，应当看一看。这是一份日本要征服中国的计划。”当纪接过文件，安马上又补充说：“这是内部密件，不能外传。”纪清漪仔细一看，原来是1927年6月日本首相田中义一在东京召开“东方会议”，参加人有驻华公使芳泽谦吉、驻奉天总领事吉田茂、关东厅长官儿玉秀雄、关东军司令藤信义等，这是他们共同制定的对华政策纲领。第一步在东北建立满洲国；第二步勾结中国腐败官僚政客成立各种形式的自治政府；第三步逐步向中国内地推进，最后占领全中国等等。

纪清漪一看关系重大，对安怀音说："时间太晚了，能不能拿回去看？""不能。""咳呀！还有半个小时，学校宿舍大门就要关了，我拿回去明天早七点以前准送回来。"安怀音踌躇一下说："这是密件，可不能给第三人看。"

纪清漪拿了文件赶回宿舍，急忙找了几位同学连夜抄写，直到天明把文件送回。然后又把抄件送到虎坊桥新华印刷厂印了五千份，寄给全国各机关、团体、图书馆、学校，甚至大商店。纪清漪在扉页上写了这样几句话：

> 首先我要向借给我《田中奏折》的人表示歉意，我违背了诺言；但关系到中国存亡的大事，我只能失信于朋友，不能对不起国家。读者啊！如果你的心还在跳，如果你的血还在流，你就应该把这个小册子，一字一句地读完。你应该想一想：你作为一个中国人，你有什么责任？你应该做些什么事情！

《心畬学历自述》

冯国定

溥儒先生，字心畬，别号西山逸士，清恭亲王奕䜣之嫡孙，乃一代艺术大师，他在书画方面的成就，可谓中外同钦。但社会人士与学术界，对他的学历知者甚少。余往岁翻阅国外书刊，见有台湾黄氏搜集溥氏亲书《心畬学历自述》复印手稿一件，堪称珍品。爰将原文移录于后，以飨读者。

余幼年未曾入小学读书，因光绪年间，宪法未完全成立，凡宗室王公子弟，皆沿用旧制，在家塾读书，年满二十即出学当差。

于宣统三年（庚戌年，我时年十五岁），奉上谕成立贵胄法政学堂（此贵胄法政学堂前身即贵胄陆军学堂，毕业后送东西洋学军事），凡王公大臣、勋旧子弟年及十五岁者，皆命入贵胄法政学堂读书，有隐匿不报者，罪其家长。故余于宣统三年九月十五日，送入贵胄法政学堂。当时该学堂制度，分预备科、甲乙科、简易科、听讲班。预备科等于中学；甲乙科等于大学；简易科皆年龄在二十五岁以上四十岁以下者，等于速成班；听讲班则皆王公大臣政事之暇，临时召

集听讲(由监督召集),并无日常课程。简易科、听讲班,等于光绪年间之进士馆,非基本学生。在宣统逊位诏下,学堂结束,即将预备科、甲乙科三班学生,并归清河大学(在京北),旋又由清河大学学生中,有愿学军事者,保送入保定军官学校(故保定军官学校第二期、第三期学生多与余同学)。其不愿去校者,又并入北京市内法政大学,余即毕业于此大学。

年十八岁,实为逊位后二年(即癸丑年),是时余嫡母、长兄皆居青岛汇泉山(在马场前),余因省亲至青岛,遂在礼贤书院补习德文。因德国亨利亲王之介绍(亨利亲王为德皇威廉第二之弟,时为海军大臣),游历德国,考入柏林大学(今在东德,校址已毁,西德今又成立,名民主自由大学),时余年十九岁,为逊位后三年(即甲寅年)。三年毕业后,回航至青岛,时余嫡母为余完婚。余是年二十二岁,即逊位后六年(即丁巳年),是年夏五月结婚。六月二十四日回北京马鞍山戒台寺,携新妇拜见先母,后即在寺中读书。明年生长女韬华,秋八月,再往青岛省亲。乘轮至德国,以柏林大学毕业生资格,入柏林研究院,在研究院三年半,毕业得博士学位。回国时,余年二十七岁,是年为逊位后十一年(即壬戌年)。是年为嫡母六十正寿,故由德国赶回青岛祝寿。祝

寿后，仍回北京马鞍山戒台寺。余年二十九岁，生长子毓岦，为逊位后十三年（即甲子年），因荣寿公主（荣寿公主系余姑母）七十正寿，遂奉先母移城内居住。

余年三十三岁，为逊位后十七年（即丁卯年），应日本之聘，为日本京都帝国大学教授。回国后，为国立艺专教授。自卢沟桥事变起，后即北平沦陷，余遂移往万寿山居住，是年余四十四岁，为逊位后二十八年（即己卯年），日方屡请参加教育等事，遂称疾不入城。此后之事，无可详述。今序学历，并非欲借此宣传。所以不惮详说明陈述者，欲使对余学历怀疑者明了而已。

叶仰曦先生

葛畾

叶赫那拉·仰曦，名昀，是满族著名画家兼昆曲艺术家，生于 1901 年，二十岁时正式拜溥侗为师，开始学习人物画。侗五爷在无意中发现了这位昆曲天才，于是主动教授他昆曲。

当时北京最早的一个画会“松风画会”由满族画家爱新觉罗·溥雪斋领导成立。成员中有启功、溥松窗、关松房、祁井西、张和镛、仰曦先生和溥佐。仰曦先生的人物画那时已具相当功力，为了进一步钻研山水画，在古人中他常师法刘松年、蓝瑛等传统技法。仰曦先生生长在北京香山一带，自幼沐浴在大自然的怀抱中，饱览山川林海的自然风光，给从事山水画打下了坚实的基础。

仰曦先生在29岁时参加了“中国画学研究会”，开始了他的艺术生涯。在荣宝斋的笔单为四块银元一方尺，从此以人物山水画蜚声画坛。人物画以非常见功力的铁线描见长，山水笔墨酣畅、洒脱。“大胆落墨，细心收拾”的古训在先生的笔下可谓运用得淋漓尽致，笔情墨趣，变化无穷。画面上无论是苍松翠柏，还是绿柳青竹；无论是峰峦沟壑，还是平沙流泉，都给人一种清新淡雅、空灵明快之感，韵味浓重，耐人寻味。

解放前昆曲已濒于灭绝，自周总理提出“继承和发展昆曲艺术”以后，仰曦先生即去北方昆曲剧院担任研究和教学工作。先生对昆曲的发音、吐字、一招一式都有精深的研究。在他的艺术生涯中昆曲和绘画几乎是同时存在的。青年时代往往上午在家中作画、授课；下午去昆曲社聚会演唱。曾一度去清华和燕京大学教授昆曲。

仰曦先生在1983年4月辞世后，不断有生动感人的悼念文章和挽诗发表。如：钱世明先生的挽诗：

广陵绝去欲弹琴，向秀笛中感旧音。
雅调催怜无副响，一翻遗篇一沉吟。

当年三过广桥居，画笔停来论曲初。
今日哪堪闻笛响，清风明月亦凄如。

张慕雨先生的挽联是：

曲得名师，画得名师，九曲货郎成绝响；
画也传人，曲也传人，满门桃李遍开花。

杨荫榆之死

张笃和

杨荫榆女士，江苏人，清光绪年间就学上海务本女校，毕业后留学日本，毕业于东京女子高等师范学校。回国后，热心女子教育，惟性情刚愎自用。1892年杨荫榆应聘为北京国立女师学监并兼任该校讲习科级主任。由于她专横严厉，所以在全校学生中，大多对她不满。其后杨荫榆赴美深造，返国后曾一度任北京女师大校长。在职期间对进步师生排挤迫害，如对鲁迅先生与许广平等，结果遭到进步师生群起而攻之。然而，就是这位杨荫榆女士，她死时所表现的民族气节，却是深为人们所称道的。

抗日战争时期，杨在苏州隐居，因她懂日语，日本一个小军阀屡次邀她出山帮凶，她坚拒不出。一天，日军数人又携武器到她家胁迫，引起冲突，杨荫榆破口大骂，日军兽性大发，蛮不讲理地将她拖至苏州河边，推入水中。由于她会

游泳,故未沉没。当她将游至对岸时,日军凶残成性,怕她逃跑,连放数枪,杨荫榆中弹牺牲,死得十分悲壮。

王照其人

许林邨

王照,直隶(今河北)宁河人,字小航,号水东。光绪进士,由庶吉士官至礼部主事。光绪二十四年(1898)百日维新期间,他向光绪上了一道条陈,大意是说,请旨宣示,消亡之祸,已在目前,竭力挽回,犹恐不及,勿空言以贻误国家。王照吁请专设教部,以西人敬教之法,尊孔子之教,以西人劝学之法,兴中国之学。他的条陈请礼部代奏。

不料礼部尚书怀塔布和许应骙等守旧派,非但不予转递,反而扣压条陈。王照不服,又向都察院亲递,后被光绪帝知道,即以怀塔布等故意阻碍言路,将礼部六堂官革职,并表彰王照不畏强暴,赏给三品顶戴,用昭激励。戊戌维新变法失败后,王照逃往日本,光绪二十六年(1900)秋,隐居天津。

王照在日本时,曾研究过日本的“假名文字”。感觉汉字之难认和发音不准,遂着手创造了汉字拼音字母,可以用来注音,并可以代替汉字，实行汉字拼音化的初步尝试，比以往的“切音”大大的向前推进一步。

光绪二十九年(1903)，他在北京裱褙胡同创立了“官话字母义塾”。1905 年在保定创办了“拼音官话书报社”，出版有伦理、史地、自然科学等拼音官话书，销路甚广。

民国二年(1913)，北洋政府教育部召开“读音统一会”，王照当选为副会长。

王照著有《三体石经时代辩》、《读左随笔》、《读易随笔》等书，大部分收入《水东草堂集》中。

民国十八年(1929)，我十七岁的时候，曾侍同郭琴石老师（辅仁大学教授）前往北京西海拜访了王照先生。先生面貌清癯，精神矍铄，纵谈今古，谈笑风生，说到戊戌变法改革失败，对光绪皇帝之英才未展，仍为之唏嘘不止。当时给我的印象颇深。王照先生于 1933 年逝世，享年七十四岁。

怀念陆鸿年老师

赵世咸

陆鸿年老师，字信北，原籍江苏太仓县，1914 年出生在北京，其祖父陆宝忠，外祖父徐甫均系清代显宦。

先生自幼酷爱国画艺术，1936 年毕业于辅仁大学美术系，毕业后留校任讲师。

“七七”事变前，故宫古物陈列所所长钱桐，成立国画研究馆，专门为研究临摹历代名画培养人材。陆老师为第一期研究员，同期有田世光、俞致贞、王学敏、谢天民等。当时该馆聘请张大千、黄宾虹、于非闇三位国画大师为导师，每周来馆讲课指导。陆老师在国画研究馆学习期间，将历代帝王像全部临摹完毕。这对祖国的绘画艺术和历史资料都是很大的贡献。先生每临一幅画都很细心观察原作，一丝不苟，对人物造型，衣纹线条非常重视。为了画好衣纹，必将原画反复阅览多次，每临一次都和原画作详细比较，日积月累，技法不断提高，逐渐形成自己的独特风格。先生临摹的古代人物画以人物传神、衣纹流畅逼真见称。1942年我考入国画研究馆，成为第五期研究员。当时陆老师是人物班的讲师，我在人物班学习时，老师总是热情帮助，耐心指导。并告诉我们学画要先临画。临画要细览原作，详加揣摩，不要急于求成，否则就临不出原画的笔法和神态。先生以自己临摹帝王画像的亲身体会，言传身教，使我受益很深，记得先生叫我临钱谷的《十八罗汉图》，用白描手法，铁线衣纹，并为我讲解衣纹在人物画中的重要性，古画中多以墨代色的道理，这是中国画的特点。总之我在国画研究馆三年，在先生的指导下，使我对国画技法奠定基础。

新中国成立后，先生被聘为中央美术学院

中国画系讲师,后任副教授、教授。1950年初先生和田世光、黄均、叶浅予几位先生发起组织成立“新国画研究会”。齐白石任会长,名誉会长何香凝,副会长陈半丁,是北京解放后最早成立的美术界的群众团体。其宗旨是使国画为社会服务。在这期间,先生创作有《草原人民婚礼》、《苗族人民新生活》等许多新年画,受到好评。1953年先生被评为北京市优秀文艺工作者。先生曾去敦煌、永乐宫、麦积山等地考察壁画,发表了许多重要学术论文,对国内外美术界影响很大。

陆老师为人谦虚谨慎,对人诚恳,学识渊博,艺术精深,用毕生精力培养大量国画人材。老师虽然早已离开我们,但老师的教导,使我终身难忘,老师的音容笑貌永远使人怀念。

北京早期话剧活动点滴

端木蕻良

五四运动以后，古老的北京城，已担负起新文化策源地的重任。全国最有影响的报纸《晨报》，在北京出版，《大公报》则在天津出版。可见，平津一带在近代文化启蒙运动中，是最早投出一片曙光的。那时，戏剧家为数众多，如余上沅、赵太侔、王泊生、丁西林、陈大悲等，都致力于新戏。在这些人物中，还有一位应该提到的，就是熊佛西。

熊佛西原名福熙，后改名“佛西”。他的家乡出产有名的“南丰蜜桔”。这种桔子皮薄、个儿小，味极甜。剥下皮的反面呈一个个小圆圈，如同古代铜钱一般，故又名“金钱蜜橘”。熊佛西脑袋圆，头发长得稀疏，眼睛又高度近视，远看他的头，很像他家乡的名产“金钱蜜橘”。他是留过洋的，但从来都喜欢穿中国长袍，布底鞋。他很有演说才能，讲起话来能将听众吸引住，这也许是他多年从事戏剧工作养成的。

那时全国戏校并不多，熊佛西是北京戏校校长，负有推动剧运的责任。话剧还处在摇篮时期，如《终身大事》、《一元钱》、《新村正》、《宝珠小姐》等等，还都没有摆脱文明戏的味道（所谓文明戏，就是穿现代人服装在台上演现代戏）。有时连个剧本也没有，只有一纸“幕表”，就可以上演。熊佛西最早以孙中山先生为“模特儿”的话剧《华国魂》，就是这时演出的，当然，也没有完全摆脱文明戏的味道。

在熊佛西主持下，戏校上演了一些话剧，如《太阳上升的时候》、《寄生草》、《茂娜·凡娜》等。他们的一些演出，都是实验性质的，舞台布景还试过用软片子来作。

那时舞台上还没有出现过女演员。像小仲马写的《茶花女》话剧本中的玛格丽特，是由李叔同先生扮演的；《潘金莲》是由欧阳予倩扮演的。而北京戏校演话剧，是第一个由女演员来扮演女主角的。如果我没记错，这位女演员名叫吴瑞燕小姐，当时，成为社会上的“爆炸新闻”。有人在报上撰文“吴瑞燕小姐万岁！”我记得戏校演出的《茂娜·凡娜》，就是以女演员来演的。这位女演员是不是俞珊，我已记不准了，但这却是戏校“打头阵”的举动之一。

因为手头没有这方面的资料，仅凭记忆，写了这一点儿北京早期的话剧活动，是否有错，不敢肯定，但历史是会记得清楚的，不用我担心。

北派刻竹创始人张志鱼

范节庵

吾师张志鱼（字瘦梅），开北派刻竹之基，苦心孤诣，自成一家，为祖国艺术之林，奇葩独放，增添异彩。昔日郑孝胥曾云“他日有增编竹人录者，瘦梅必为北派之祖矣”。袁寒云亦云“他日有作北方竹人传者，当以志鱼始”。是皆赞美瘦梅夫子首创北派刻竹艺术之功也。

瘦梅夫子原籍河北通县，耕读传家。清末之际迁居北京。他性嗜书画篆刻。攻篆刻向无师承，每以清乾隆时陈克恕著《篆刻箴度》参考，以《飞鸿堂印谱》及浙、皖两派名家印蜕为蓝本，研习揣摩，细心领悟，凡十余寒暑终成名家，曾悬润于琉璃厂荣宝斋、秀文斋等南纸店，当时社会名人多请其治印为幸。

瘦梅夫子自 1912 年潜心研制竹刻，始以摹刻汉砖古泉，独辟蹊径，继之自书自画，力求刻出书法笔意、神韵气势，刻出国画干、湿、浓、淡的笔触，就这样反复琢磨，日夜非懈。1915年荣宝斋经理王仁山先生闻听张先生正在攻研刻竹艺术，同时顾客求购刻竹艺术品者日常有之，曾走访瘦梅夫子。斯时张先生之刻竹艺术已独辟北派刻竹艺术蹊径，贵在反映出画之神韵如画在纸，其粗犷、豪放的风格亦有别于南派竹刻之纤弱。王经理甚为称赞，当即请求张先生长期为该店雕刻扇首、笔筒、手枕等竹器，以备爱好竹刻艺术者之需求。

1923年春，寿石工先生陪同陈师曾先生走访张先生畅谈北派刻竹艺术，并由寿先生手书七绝一首于篦边，另一边由陈先生画山水，经张先生刻后送与陈先生。陈、寿二公大加赏识，认为张先生竹刻阴雕均能显示出画的神韵，以雄健、明快、形真、传神，对书画笔调的干湿浓淡处理得体，真是运刀如运笔，倡议应请时贤书画名家运笔于竹器之上，然后刻之，则更能显示出北派刻竹艺术的风格，供人赏玩，使祖国艺术之林更添奇葩。

同年陈先生丁忧南返，后在上海尚致函张先生叮嘱要提倡时贤书画于篦边，发扬北派刻竹艺术之长，以迥别于南派之刻法。

留青刻法见著录者始于明代张希黄平地阳雕。张先生于1924年独创沙地留青刻法。

1925年张先生在竹兰轩（系名琴师徐兰沅开设之胡琴店）廉价购得表皮被划破的湘妃竹

扇骨，以湘妃竹花纹借做梅花，再补以枝干制成沙地皮雕，是为又一创新。

投于张先生门下学艺者不下数十人，大多学治印，兼学刻竹者有王竹庵、郭竺庵、范节庵、吴沁泉。郭竺厂早年夭亡，王竹庵亦于十年前病故于天津。节庵尚健在，已逾古稀，是以传授北派刻竹艺术为己任，已传有学生边希良、范大勇二人，均学艺十年之久，尚能继承北派刻竹艺术。

北派刻竹艺术自张先生首创至今不足百年，但已饮誉海内外，而以其独特风格，屹立于祖国艺术之林。谨述此篇为不泯瘦梅夫子之功绩耳。

黄宾虹二三事

赵世咸

黄宾虹导师，名质，安徽歙县人，是当代最著名的中国画家之一。先生不仅诗书画金石篆刻，自成一家，而人品气节尤为世人所称道。今就记忆所及，略述二三事如下：

先生在北平国立艺专任教时，受故宫古物陈列所所长钱桐聘请，在陈列所主办的国画研究馆任导师，每周来馆授课。我是该馆第五期研究员，在我印象中这位全国著名的大画家，衣着朴素，态度和蔼，平易近人，尽管已是七十多岁的高龄，每次来馆都是步行，很少坐车，而且风雨无阻。先生教我们的第一课不是教画，而是“育人”。首先他教导我们要树立高尚的品德，要有为弘扬中国画艺术传统而努力学习的精神，不要把艺术视为商品，一个唯利是图把艺术事业作为发财致富手段的人，是不能创造真正好的艺术品的。这是一个思想境界问题。临摹复制是一种有技术的艺术。古画有它当时的历史条件，临摹不可掺杂个人的意向和笔法。这是文物的特点，保护原作就是热爱祖国。

先生讲完理论课之后，经常带我们到武英殿和文华殿去看古画原作，并予以讲解。当时这里收藏的书画文物都是故宫、颐和园、和热河行宫的珍品。先生学识博大精深，不仅是大画家，而且还是一位艺术鉴赏家。对古代金石文物如数家珍，对古代书画的评价，更具真知灼见。

先生住在宣武门外歙县会馆。当时先生虽然在艺专等处任教，但在敌伪时期物价飞涨，民生困苦，知识分子生活非常清贫。先生住会馆两间小房，光线暗淡，我和同学每年春节去拜年，看见先生家中只生一小煤球炉，房内并不温暖，家具也很简单。而先生淡泊为怀，刻苦自励，将近八旬的高龄仍在为祖国的艺术事业而辛勤耕耘。敌伪时期日寇曾以高薪诱请他出任伪职，继之以威胁，都被先生严词拒绝。著名学者廉南湖的夫人（日本人）也在该馆工作，为了避免日伪的纠缠，先生通过廉夫人，向敌伪表明了坚决的立场。敌伪无奈，只好作罢。先生威武不屈，贫贱不移，确是中华民族知识分子的优秀代表。

中华人民共和国成立后，先生任全国政协委员、中国美术家协会理事、中央美术学院美术研究所所长。先生九十诞辰时文化部颁给先生“中国人民优秀画家”的奖状。1954 年上海举办黄宾虹画展，他将所展出的作品全部捐献给国家。1955 年在杭州病逝，享年九十二岁。政府在西湖栖霞岭黄先生的故居，建立“画家黄宾虹纪念室”，以便国内外人士瞻仰。

回忆北大造形美术研究会

孙菊生

提起旧日北京的书画会组织，当以中国画学研究会为最早(1919)，湖社为最盛，但从学术研究方面来着眼，当以国立北京大学造形美术研究会最负盛名。

北京大学造形美术研究会于 1923 年 4 月 23 日在北京东城马神庙西老胡同 17 号成立，由北京大学校长蔡元培先生任会长，由蒋梦麟先生代理，钱稻孙先生任副会长。导师则所有当时北京的名书家、画家，尽被聘任，如沈尹默、马叔平、陈半丁、萧谦中，贺履之、姚茫父、胡佩珩、贺孔才等。会员则校内外兼收。活动内容则绝大部分为国画、书法和篆刻。只有极少数水彩画和油画参与其间。会员中的李英,也是校外会员,就是后来的李苦禅先生。

1924年4月23日,在西老胡同会址隆重举行研究会成立一周年纪念大会,并出版《造形美术》第一册,刊登了胡适之的译述文章和徐世昌的书法作品。

造形美术研究会最引人入胜的活动方式,当属专家学术讲座。凡国内名家、教授罗致殆尽,国际学者,也多参与。如聘请日本帝国大学教授、美术评论家泽村专太郎讲《东洋美术的精神》,由张凤举口译,乌以锋、张元亨笔记。泽村专太郎认为东方艺术是主观主义的——精神的,而西方艺术是客观主义的——具体的;并认为东方艺术源于印度,先传到中国,而后传到日本,成为东方的艺术体系。他引用了许多中国作品为例证,并高度评价了中国绘画。他十分赞赏中国画的笔墨运用,从各方面对山水画的南北流派加以分析。对当时中国画界,引起了很大的震动。还有印度美术家包斯(Bose)的论文《印度美术的中兴》,是由纳格博士(Dr.Nag)用英语宣读包斯的讲稿,由胡适之先生口译,乌以锋笔记。包斯首先对自己不能用中国话讲述表示了歉意,并说虽然中印两国语言不同,但是今天所讲的美术这个题目,实在就是中印两国相通的语言。他把在龙门石窟和洛阳以及各处所见

到的雕刻、建筑作品同印度的作品归结为同一个根源。以上两次学术报告最为精彩。

我当时年仅十一岁，已经开始学画工笔画，曾随堂叔父孙伯恒先生参加过这个研究会，但我当时水平太低，可谓“身入宝山，空手而归”，所以极少参加活动。

随梅出洋的三老生

李克非

京剧大师梅畹华先生最早出访的是日本，时间乃 1919 年 4 月间。第二次出国访问演出是赴美国，时间是在东渡之后的第十个年头，即 1929—1930 年间。

梅兰芳赴日本东京访问演出所带的剧目是《天女散花》与《御碑亭》两出整戏及《麻姑献寿》等舞蹈表演片断。随行的演员扮演老生行当的有两位：一位是早期京剧四大须生之一的高庆奎；一位是曾与梅兰芳、程砚秋长期合作过的著名老生贯大元。高在《御碑亭》一剧中饰王有道，在《天女散花》中饰维摩诘。贯在《御碑亭》中饰孟明时(孟月华之父)，在《天女散花》中饰文殊。梅氏在《御碑亭》中饰王有道之妻孟月华，两位老生演员与梅在舞台上相配，可谓极尽绿叶红花之妙。

十年之后，梅氏一行二十人由沪远渡太平洋赴美。此次所带剧目较访日时为多。如《霸王别姬》、《贞娥刺虎》、《汾河湾》、《打渔杀家》、《红线盗盒》、《贵妃醉酒》、《西施》、《春香闹学》等。而人员却比当年访日时减了一倍。

在《汾河湾》中饰薛仁贵，在《打渔杀家》中饰萧恩，在《西施》中饰范蠡，在《霸王别姬》中饰韩信的老生演员是王少亭。

梅氏一行巡回到美国西部旧金山等城市时，由于当地华侨观众很多，应各界人士邀请，剧团还加演了《天女散花》、《打城隍》、《空城计》等剧目。王少亭在《空城计》一剧中饰诸葛亮一角。

因此，随梅畹华先生早期出国访问的三位老生演员是：高庆奎、贯大元和王少亭。

程砚秋的艺术生涯

涂凌霄

程砚秋（1903—1958），京剧四大名旦之一，专长青衣，尤以唱工著名。他善于以唱腔表达人物的思想感情，形成了自己独特的艺术风格，世称程派。

程砚秋本是旗人，父亲早逝，兄弟四人，砚秋行四，幼年家境贫寒，为生计所迫，从小学戏。

启蒙教师是荣蝶仙，工花旦。程砚秋从他学习了许多基本功。不久，老辈青衣陈啸云先生发现程砚秋的好嗓子，特别赏识，并愿亲自教授，蝶仙当然同意。

陈啸云是清代光绪年间的青衣，享名还在王瑶卿之前，后因年老退休，并不轻易收徒，砚秋在他刻意专心教导下，进步很快，这为后来发展成优美的“程派”唱腔打下了坚实的基础。

程砚秋自十五岁登台，几十年间，所演戏剧大致可以分为三个时期：初期只演以唱工为主的戏，身段不多，如《祭江》、《祭塔》、《二进宫》、《三娘教子》、《彩楼配)、《六月雪》等；第二期是俏头多，如：《玉堂春》、《汾河湾》、《朱痕记》等等；第三期排演新戏，一类是演才女侠女的故事，如《青霜剑》、《鸳鸯冢》、《风尘三侠)、《玉簪记》等，一类是含有现实意义的戏如《春闺梦》、《荒山泪》等。因为那时国内连年军阀混战，民不聊生，外国帝国主义不断入侵，这些戏可以抨击时弊。

程砚秋平生谦逊好学，他对王瑶卿、梅兰芳十分尊重。梅兰芳长程砚秋九岁，程砚秋曾拜梅兰芳为师，并博采众长，《贺后骂殿》是程砚秋的杰作。余叔岩是有名的老生，但程砚秋的一些唱法、身段却又借鉴得力于他。

早在1931年，程砚秋和金仲孙曾组织过一个戏曲研究所，旨在解决京剧中存在的音韵问题，他和我合作写一本《韵解》，经过三番五次的修改，最后由北京市文史馆油印成册。

程砚秋被誉为四大名旦之一，不幸英年早逝，于1958年3月患心肌梗塞去世，享年仅五十四岁。

程长庚不应堂会

李克非

中国京剧起源于清代乾隆四大徽班进京，三庆班是四大徽班之首。三庆班老板程长庚人称“程大老板”，被誉为“伶界大王”。

长庚之得此盛名不止于氍毹技艺高超，舞台唱腔洪亮清越，引人入胜。其人道德之高尚，也是一般伶人望尘莫及的。当年每遇堂会，程身为“三庆班”老板，至少也唱两出，有时甚至唱四五出。因缺少配角，程自告奋勇，甘当配角。

程语人曰：“众人之搭三庆者，为我程长庚；而我之对众人，亦当亲如手足，俾收众志成城之效。有福则同享，有难则同当。不可一人独享。”但他班堂会时，长庚不应外串。

一日，北京都察院团拜，为“四喜”班底，外串长庚，长庚不应召。某都老爷，平素曾识长庚，呼之亦不至。遂令衙役拘之，锁于台柱以辱之。问其何以不唱？程答“嗓子痛”，屡询，程皆以“嗓子痛”而答。都老爷最后令班头将程拖去责之。程甘心受责，始终不唱。他最后道出真实心情：

"我若唱一回，则无论何处外串，我皆须应之，无以对三庆诸同仁兄弟也。"此长庚高人一等处。

封建社会贱视优伶，列为下九流中，子孙皆不得做官，本身更不必言矣。昔日，谭鑫培之获赏顶戴固属逾分之荼，世称"谭贝勒"，实则有清一代获赏顶戴者乃自长庚始。

大老板程长庚一生享大名，然总其一生之家庭经济收入，尚不及民初名伶一个月之包银。辛亥后，一般名角南下上海、汉口，其包银动辄一万数千元现大洋，而程老板一生唱戏数十年，其积蓄亦不足一万数千元银元也。

据旧都梨园诸多史料载：程长庚，名椿，字玉珊，皖潜山人。道光至光绪初年长期为"四大徽班"之一的"三庆班"老生台柱及班主，兼任北京"精忠庙首"(即梨园公会会长职)。他融合汉调、徽调并吸收昆曲加以改造与提高，在京剧表演艺术形成过程中贡献颇大。当时他与余三胜、张二奎并誉为"老生三杰"。晚岁办"三庆"科班，培养了陈德霖、钱金福等著名旦净演员。程无子，以侄章圃为继子，章圃子为民初著名小生。

明日何其多

宁玉环

《明日歌》是清代文人钱鹤滩的作品，虽无形象思维、诗情画意，却是至理名言，发人深省。对于我们每一个人，特别对于那些惰性十足的人，读了这支歌，岂能无动于衷？

《明日歌》的全文如下：

> 明日复明日，明日何其多，我生待明日，万事成蹉跎。世人苦被明日累，春去秋来老将至。朝看水东流，暮看日西坠，百年明日能几何？请君听我《明日歌》。

《明日歌》的中心意思就是说流光易逝，年

华似水，时不我待。凡事必须以只争朝夕的精神，闻风而动，切不可蹉跎岁月，等闲视之。所谓“将来再研究”，实际是自欺欺人之谈。

漫谈“三教九流”

爱新觉罗·连湘

三教：儒、道、佛。

九流：儒家、道家、阴阳家、法家、名家、墨家、纵横家、杂家、农家。

这是书本上的记载和解释，读后似懂非懂，好像与我们并没有什么直接关系，且不去管它。

除此之外，长期以来（尤其在旧社会）民间还另有一种说法，即“上九流”和“下九流”。既是民间的说法，就多少距离我们近些。虽然在今天，这与大家也没有什么直接关系了，但从历史上看，就不那么简单。首先，属于下九流者，不准进入科举的考场。例如饭馆里堂倌的儿子，就不能到一流的绸缎庄里去当伙计，诸如此类。

据说属于上九流者是：一流佛主，二流仙，三流皇帝，四流官，五买卖，六庄田，七偷，八盗、九要钱。

下九流为：一流秤，二流斗，三流屠户，四套狗，五修脚，六剃头，七娼，八唱，九吹手。

这上、下九流，说穿了无非是对社会上各种

职业、江湖上各种行当的褒贬和排列，以尊、卑做区别的。今天看来，这种排列既不科学也不合理，褒贬的标准也极为荒谬；但却真实地反映了历史的社会，以及当时多数人的社会意识。

如略加剖析："佛主" 除泥胎金塑的佛像之外，自然包括活佛、高僧……宗教界的领袖。"仙"，从赤脚大仙到土地老爷，还有蛇、鼬、狐、獾，巫婆坛主，一支相当庞大的队伍。他们被列为二流虽然可笑，却不难理解。但求生活有所改善，除了抱佛脚，就得借仙气，再说"信仰"嘛，当然不服天朝管。以下，"皇帝"至尊，"官"是老父母，怎敢得罪。商贾与庄户，说是属于"正经人家"，其实劣绅土豪权势在握，位居上九流不足为怪。至于惯偷盗匪和赌徒，均是惹不起的"大爷"，只得做为鬼神而敬之，免得一旦不巧，横祸临头。

下九流中，"秤"和"斗"，指的是做小买卖的，行商坐商，充其量不过小业主。"屠户"似还可以包括厨师、堂倌等餐饮业者。至于"套狗"，指的是环卫工人，其实还包括俗称"耍手艺"的个体劳动者群。修脚、剃头是服务行业，旧时称"伺候人"的，地位较低。然而，脚是坐着修，头要站着剃，由师傅看来，头脚都是顾客身上的部件，问题还得看我是怎样做活的。"娼"是妓女，"唱"指演员，旧时称"戏子"和表演"玩艺儿"的，还有"吹鼓手"，都是在旧社会最受歧视和凌辱的。

国民党时期的币值

李钟和

在"七七"事变以前，国民党改银币为法币（纸币），不准使用银币，人民如有携带银币的，一律没收，把大批银币运往美国。当时物价稳定，法币价值与银币相等。1938年，我住河南镇平西北石佛寺，物价仍甚低廉，法币一元可买鸡蛋一百六十个。1940年以后，半壁河山被日寇侵占，国民党政府收入少，支出多，乃滥发法币，以济急需。但法币愈多，物价愈涨。国民党因法币贬值，又滥发关金券，关金券贬值后又发行金元券，每一金元券等于法币三百万元，公务员因所增薪资赶不上物价高涨，领薪后即买成实物，以致市面法币充斥，物价飞涨不已，人民叫苦连天。

1948年11月，南阳解放以前，我由诸葛庐回镇平，适遇国民党王凌云的军队由镇平回南阳，沿途卖食物者甚少，馒头每斤一百二十万元，面一碗八十万元，鸡蛋三个一百万元，法币已等于废纸。我尝见厕所内法币满地，变为手纸，这也是废物利用吧！

京剧中的丑角

涂凌霄

生旦净丑是京剧中的四根大梁。丑角的脸上常常抹一小块白粉，扮相不大方，身段做派以及服装等等，都不如其他角色受瞧，所以一般人看不起丑角。

其实不然，丑角必须文武工俱全，如《问探》中的探子，报告敌情载歌载舞，身段极多，手执一柄报子大旗翻来覆去，旗的四角不卷不变，总是一个整方。这虽不是武场交战，却比舞刀枪开打还难。文的方面比生旦净还要多学些课目，丑角的韵白是一点不能含糊的，除北京话外，还有几种语言必须练习，如苏扬二州、南京、山东、山西、湖南、湖北的方言，纵不能全学全练，亦须有些准备。如《盗书》中的蒋干以及《乌龙院》的张文远等，说的都是地道中州音韵。文丑之外还有武丑，又名为开口跳，如《盗甲》中的时迁，《连环套》中的朱光祖，武功身段以轻灵矫捷为上乘，比武生武旦另有巧妙不同。说白更要脆亮圆活，口角生动。总之，丑角的技术工夫，决不弱于生旦净三行。

再说到丑角的身份，更与一般想象的完全相反。过去京剧演员在后台化装休息，依照老规

矩，必须丑角先抹白，然后生旦净才可以开脸化装，任何名生名旦都不能越过这个规矩。后台的座位都有一定的厢位，生旦净各行必须坐在指定的地方，只有丑角可以随便。丑角成为各行角色的第一尊，并非偶然，因为戏与滑稽有着历史的联系，戏的表演原本只一二个人说说笑笑（和现在的曲艺、相声相似）。戏曲的原始在于滑稽，角色的开端是丑。而化装也是由抹白而起，所谓粉墨登场，后来就成为一切装扮的总名。

丑角所扮演的也不都是小人坏人。丑角内分五派：（一）冠带派（如蒋干、汤勤）；（二）龙钟派（如《琼林宴》的樵夫、《浣纱计》的渔丈人）；（三）笑骂派（如《状元谱》的朱善）；（四）雄浑派（如《扫秦》的疯僧）；（五）幼稚派（如《钓金龟》的张义等）。由此可见，丑的特征在于滑稽风趣。如《秋江》中的老艄翁，是一个充满幽默感、善良忠厚的劳动人民。《疯僧扫秦》中的疯僧，对秦桧嬉笑怒骂，百般讽刺，气象是雄浑的，但形式还是风趣的。

京剧史上，名丑很多，如萧长华就是一位相当完备的丑角大师。

一言致死的祥贵人

穆江山

末代皇帝溥仪第一个皇后婉容被逼成精神病，成为不死不活的废人；第二个皇妃文秀冲破封建枷锁，离婚改嫁。为了充实后宫佳丽，又从北京某中学骗走一个青年女学生，诱到长春，做了伪满皇帝溥仪的妃嫔。当她陪伴溥仪在林园散步时，说了一句实话："从北平来人说，日军在进入南京时，杀了好多人"。被跟随在暗处的日本特务吉冈听到了，便乘她患感冒发烧的机会，吉冈命军医给她打了毒针，立即暴死。这就是被溥仪封为祥贵人的谭玉玲。她的骨灰，有幸被溥仪继子小瑞（爱新觉罗·毓岩）带回北京藏于住室檐前。今日旧事重提，使我们更加认识到日本帝国主义者当年入侵中国时滥杀无辜的狰狞面目，同时，我们对谭玉玲的悲惨结局深表同情，从而激发我们更加热爱祖国、保卫祖国的坚强意志。

满族嫁娶的礼仪

常瀛生

满族人很少指腹为婚，一般都是成年聘娶。首先由男家主妇访问女家，相对方女子的年龄容貌，满意时赠礼品，谓之“小定”。然后，择吉日，男家宗族亲友包括新婿，共往女家“问名”。男家代表致词，无固定语言套路，大致讲，“我家孩子不才，但已长大该成婚了。闻听您家令嫒很是贤慧，故希望能嫁到我家来，不胜荣幸。”女家也要客气一番，然后定婚。这时，新婿拜神位和岳父岳母。再改月选吉日过礼，男家送去酒席、绸缎、衣服、羊鹅等物，女家隆重款待。待婚前一天，女家送嫁妆到男家，新婿骑马回谢。新妇到，新婿拿弓矢对轿射之。这就是相声演员说的，喜轿到，先射三箭，射魔妖。其实，那里有什么妖精，这三箭来自满族的传统习俗。

满族古来以狩猎为业，一切离不了弓矢。古代的女真人有以甲胄弓矢为聘礼订婚的习俗。新妇既至，新婿用弓矢对舆射之。同时，喜轿抬至男家后，新娘过火盆迈马鞍，也都是满族习俗。

原来满族先世，部落之间常常互相掠夺，抢取财物、牲畜等，并抢夺人口，抢回来的人或分给本部落的诸家为奴，或强行婚配，分给自己的从人和部下成婚。喜轿到门,新婿射三支箭实存威胁之意,是用武力强迫其就范。过马鞍也说明抢亲。抢来的妇女与自己部落的人成婚,过马鞍,说明新娘被抢后是捆在马背上驮回来的。抢回之后,从马背上解下来,于是留下过马鞍的习俗。至于火盆,它说明狩猎者在野外成婚的实况。

远的不说,只看明末清初的记载就可以知道,那时女真人结婚在野外搭个“榻躺”(tatan原意是猎人在野外搭设的临时住处),烧篝火,设宴以迎娶新娘。新娘大多是另一部落的人,时常是由新娘的父兄从很远的地方送到的。篝火熊熊燃烧,正是后来婚礼中这个火盆的由来。

东交民巷的由来和变迁

傅中午

东交民巷,原名江米巷。位于正阳门以东崇文门以西,南边直至从正阳门到崇文门的城墙根,北边则以东长安街为界线。这条街道,早在元朝初期修筑大都城时就有了,称做江米巷;不过当时不在城内,而是城南关厢的一个居民点。及至明朝永乐年间展拓南面城墙时,才把它划入城内。仍袭用旧名不变。后来,由于来朝进贡的外国人以及各国的商人、留学生络绎来到北京,他们都住在巷内会同南馆,于是当地的居民

开始把江米巷叫成了“东交民巷”。此后，这个名称就一直保留下来。

据历史记载，元世祖中统四年（1263）修筑燕京，至元四年（1267）修筑燕京新城，至元九年（1272）新城建成，改号大都。这时，江米巷是在大都城的南城外。

明成祖永乐十七年（1419），展拓北京城南面城墙二千七百丈，第二年由南京迁都北京。这时江米巷随着拓展城廓，划入城内。此间，永乐五年（1407），曾在玉河桥西段建成四夷馆，专门用来接待四方外宾。永乐六年（1408）创建会同馆，后改为顺天府燕台驿。明宣宗宣德五年（1430），皇帝命令在东交民巷西口首次建典礼部，即现在的毛主席纪念堂东侧。东交民巷的宗人府是明英宗正统三年（1438）建成的。正统六年（1441）九月，命令在玉河西堤建造房屋一百五十间，供来朝使节住用，第二年建成，同时取消了四夷馆，这就是会同南馆。其后又建会同北馆，地址在东长安街路北，原京汉铁路局旧址，即现在的北京饭店新楼址。

清顺治元年（1644），清兵入燕京定为京师，但在设置、制度上仍袭用明朝的，直到1901年，辛丑条约签定之前，东交民巷一带，外国使馆、洋商银行林立。清政府的五府官厅也多汇集在这里。清政府在台基厂东北修建了昭忠祠（俗称忠臣庙），它的西边是清崇公府。东交民巷中玉河桥以东，东巷以西路南有崇文义学、德国使馆、汇丰银行等；路北有工部库房、法国使馆和日本使馆。从这里往北则是清肃王府、詹事府。南边对着城墙根有清太仆寺、宗人府高墙，是拘禁皇室犯罪人的地方，也就是监狱。

中玉河桥以西，路南有朝鲜使馆、德使馆、美使馆；路北有俄使馆，再往北沿玉河东岸有英使馆、鞑子馆（即蒙古馆），由此向西转路南有翰林院、銮驾外库。中玉河西边对着大城墙处，有庶常馆、清怡亲王祠。

东交民巷西口路北兵部街里有清工部、兵部、钦天监、太医院等。再西行为户部街。这里有吏部、户部和礼部。东交民巷的西口尽头有敷文牌楼一座，与西交民巷东口衍武牌楼相对。

闲话王府井

纪　引

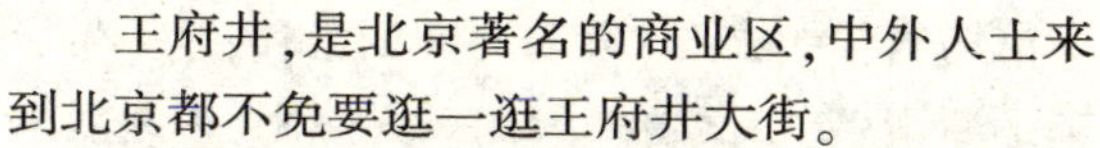

王府井，是北京著名的商业区，中外人士来到北京都不免要逛一逛王府井大街。

“王府井”之名，始于清代末年。元代以前，这里叫丁字街。从明代起，逐渐发展起来。明成祖朱棣在攫取帝位后，为预防藩王在外割据谋反，特在这里集中修建了十大王府，把诸王置于肘腋之下，易于监视。到了嘉靖年间，这里因府而名，已开始用十五府街的名称了。清末民初，将王府街分为三段:北段称王府大街,中段称八面槽,南段因有一口甜水井而名王府井。我们今天则把北、中、南三段统称为王府井大街。

清末因这一带地近东交民巷使馆区,一些商人和外国人就租借旧王府的宅第,开设商店,或在墙边摆摊搭棚。于是大街两边遂形成以买卖古董和洋货为主的不规则店铺,以及外国洋行、商号;并逐渐向北延伸,直到丁字街、灯市口一带,连绵不断,成为繁华的闹市。现在的王府井百货大楼原址为伦贝子府的一块隙地。最早租与曾广铨(李鸿章幕僚,后任驻朝鲜公使)建房居住,后来让给当时任京师巡警厅丞的朱启钤。两年后,朱离任出京,其宅地由人改建成一家专门经营福建食品的公司。

光绪二十八年(1902),肃亲王为改善交通,整顿市容,将东安门外的御道扩展为马路,把御道两旁的摊棚全部拆除,众商贩被迫迁往金鱼胡同。后又由帅府园神机营练兵操场划出一些土地,收容被拆除棚屋的摊贩,这就是著名的东安市场当年的雏形。随着时间的推移,这一带店铺不断增多,市面也一天比一天热闹,一些后来驰名中外的老字号先后出现,像1906年开业的东来顺,1916年开业的稻香村等。同时,戏院、茶社、舞厅、饭庄等也相继在这里兴建起来,逐渐成为全市最大的日用百货市场。

王府井商业街的出现,也改变了老北京人买东西"赶庙会"的传统习惯。

北京的胡同和地名

张润普

北京的胡同，四通八达，胡同的名称，也是千奇百怪，无所不有。俗话说北京的胡同"有名的三千六，无名的赛牛毛"，当然也没有人作过北京胡同、地名的统计表。可是明朝嘉靖时曾有张爵写过《五城坊巷胡同集》。清朝《光绪顺天府志》、有朱一新写的《北京坊巷志》。光绪间有蒙古翰林延清的女儿杏芬写过《北京地名对》。这三种书差不多把北京的胡同地名，几乎全概括了。

至于北京胡同命名的缘由，颇不一致，有由人物起的，如：马状元胡同，石大人胡同，班大人胡同。有由爵位起的，如某王府、某公府、泰安侯、武定侯、广宁伯、遂安伯等类。有因庙宇起的，如：城隍庙街，护国寺街，隆福寺街之类。有因文物起的，如铁狮子胡同，麒麟碑胡同，铁影壁胡同，石虎胡同，山子石胡同之类。有象形的，如：八道湾，九道湾，花板胡同，胳膊肘胡同，箭杆胡同之类，不一而足。有命名很随便的，如：裤裆胡同，裤脚胡同，粪厂大院之类。有以货物集市为名的，如花市、菜市、猪市、肉市、米市之类。有由历史上沿袭下来的，如缆竿市、苏州胡

同、镇江胡同、船板胡同，南北河湾皆因元朝运河（又称文明河）两岸遗址而起。又有由各民族定居而命名的，如：回回营，鞑子营，高丽馆之类。又有作蒙古语的，如大沙拉。沙拉是元时呼珠宝的意思（今正阳门外大栅栏就是沙拉的转音，但是人总呼为大沙拉）。又有作满洲语的，如谙达营。谙达是满洲语教习和伙伴的意思。如昂邦章京胡同，昂邦章京满洲话是官长的意思。

北京的胡同地名花样最多，无所不包，《京师地名对》分为二十类，再加以年久声音的变化，字面的更改，竟至找不到命名的所以然。又如北京自设警察机关以后，常常改变胡同名称，如闷葫芦罐，改为蒙福禄馆。狗尾巴改为高义伯。鸡鸭市改为集雅士。驴市改为礼士。这些改变，数不胜数。至于现在名存实亡的，如西直门的沟沿无沟，御河桥无河，永定门无门，天桥无桥之类，以后自然还有不少。还有一些非常突出的胡同名称，如西城区的百花深处，地安门外的杏花天，琉璃厂东头的一尺大街，地安门的鬼门关，西安门内的真如境，西交民巷里的狮子口，宣武门内大街西的棺材胡同（后改光彩胡同，与槓房胡同相近），西单街东的心尖胡同，东直门内的鸡爪胡同，前门外煤市街的清风巷，打磨厂南的清风营，天桥北的山涧口，南横街东头的黑阴沟，全是名称特别，有极好听的，有极逆耳的，究竟起于何时，就很难追究了。至于现在地安门

内的恭俭胡同，本是叫内官监，也就是明朝内官的一个官署，不知何时官字竟变为宫字，又把宫监变为恭俭。如西直门外的畏吾村，由畏吾村变为魏家村，现在又称魏公村了，究竟魏公又是谁呢？就不得而知了。

一所古老的育婴堂

刘春生

在北京城东南隅的夕照寺街西侧，曾有一所历经三百多年的古老育婴堂。它建于清朝康熙元年（1662），一直延续到新中国成立。解放后，人民政府把它改为一所小学。

雍正十三年（1735），皇帝赐银五百两，以助育婴堂养赡之费。以乾隆年间，这所育婴堂已有一定规模，乾隆皇帝也曾拨款扶助育婴堂，并赐字刻成石碑，立于堂院之中。提起乾隆赐碑，还有一段传说：当时的育婴堂由一位叫柴世胜的官员管理。他发现京郊四野时有弃婴，便亲自驱着牛车到处拣拾弃婴，送进育婴堂内抚养。一天，柴世胜的牛车在路上适逢乾隆皇帝出游，因一时躲闪未及，挡住了皇帝去路，犯了“挡驾”之罪。不料，乾隆皇帝问清情由，不仅没有问罪，还赐龙旗一面挂在牛车之上。龙旗，是皇家车驾的标志，有了它便可畅行无阻。后来，在乾隆皇帝

赐碑拨款的影响下，一些有财有势的官吏有的捐钱,有的捐地,有的帮助投资盖房,很多上层人物都和育婴堂有联系。有关这些情况的记载,在育婴堂发现的石碑碑文中仍依稀可见。

清朝时，育婴堂归顺天府兼管，到民国时期,育婴堂归河北省管,改名为“河北省第一救济院”,设有董事会,建制比较完整。育婴堂占地面积近两千平方米,约有房屋五十多间。它座北朝南,大门口两侧是两间三角形的收婴室。进门有一段甬道,甬道西侧有一个八角木亭,亭内有一石碑,上题乾隆御笔。院北边是大、小婴儿住室、院长办公室、伙房、事务室、卫生室、浴室,还有一个袜子工厂。北头西侧是柴公祠,祠内供着柴世胜的泥塑像。

育婴堂规定送婴的人与育婴堂的人不见面。收婴室墙外没有窗户,只有一个可以拉出的大抽屉。送婴的人往往趁天黑把孩子放在抽屉里悄悄离去。收婴室内常有人值班,外面一拉抽屉,便知有人送婴。婴儿从抽屉里推进室内后,由值班人员抱到婴儿住室，从此这个尚不懂事的孩子便成为孤儿,被收养在育婴堂。他们的父母也就再不能见到自己孩子一面了。为了纪念柴世胜,育婴堂收养的孤儿统统姓柴,男孩都叫柴×仁,女孩都叫柴×慈。

北京的放风筝季节

王恩涛

老北京那阵儿，新年刚过，阳气初升，便是放风筝的季节。后海、什刹海、中山公园、先农坛等地，是集中放风筝的场所。无论胸前飘拂银须的老者，还是垂髫的孩童，抑或是青壮年、机关要员，男女老少，争来放风筝，许许多多的雄鹞鹰、花蝴蝶、长蜈蚣、九莲灯、方八卦、睡美人布满了天空，五彩缤纷，煞是好看。天上地下，由一条线把人与物情感交融起来，这是北京人的欢乐季节，正像一首民歌里唱的那样："正月里来正月正，姐妹二人去踏青，踏青捎带着放风筝，一抖一抖起在空，蝴蝶蜈蚣九莲灯！"充满了浓郁的生活气息和春到人间的愉快心情。

风筝最初叫"纸鸢"，以竹为骨架，粘以纸或薄绢，呈鸢状，引线乘风飞上天空，故名"纸鸢"。鸢，似鹰，俗称鹞子，取其雄猛盘旋之义。后来在鸢首，饰以竹笛，使风入竹，声如筝鸣，故又名"风筝"。

风筝起源很早。虽有说最初是用于军事目的而制造的，也有说是用于游戏的，众说纷纭，但其真正的发明者是群众，因为风筝流行于民间，飘扬在旷野上，民间的玩物只能是群众发明的。至于韩信、肖纲等兵家使用于军事，只能旁证风筝起源的久远和古老罢了。

我国是风筝古国，经常举办世界性的风筝比赛会，潍坊就以举行风筝盛会而闻名，每年各国友人赶来参加风筝盛会，增强了国际友谊。届时争奇斗艳的各式风筝飞上了苍穹，笛声响彻晴空，既好看，又悦耳。

唐代诗人高骈有首《风筝》诗，曰：

夜静弦声响碧空，
宫商信任往来风。
依稀似曲才堪听，
又被风吹别调中。

在夜空中放风筝，静听弦响筝鸣，宫商音调随风变换，奏出不同的乐章。当年在后海和先农坛对风筝的情韵和欢乐深有体会者，想该长久不忘北京的风筝季节吧！

忆洪业师

侯仁之

第一次给我以严格的训练并耐心引导我走上治学道路的，是我在燕京大学的老师洪业（煨莲）教授，这已是半个多世纪以前的事了。1960年的春天，在阔别三十四年之后，我才得有机会和妻子张玮瑛一同去他那里团聚一周。那时他已是87岁的高龄，早已完成了他一生心血所寄的专著《杜甫——中国最伟大的诗人》一书（英文本，哈佛大学出版社，1952），可是对于他长期进行研究的古籍《史通》，仍然爱不释手。一天晚饭后，他还兴高采烈地把亲自校注的这部书的一种珍本拿给我和玮瑛，细加解说，再也没有想到这竟是他讲授给我的最后一课。现在这部珍本《史通》已赠送给北京图书馆永久收藏，这也就最好地寄托了我们的老师对祖国深刻的怀念之情。至于对我个人来说，最可珍贵的还是在祖国最危难的时期，煨莲师所写给我的一些亲笔信件。那时还在抗日战争期间，北平正处在敌伪的残暴统治下，我曾和煨莲师等十一人被日寇逮捕入狱。我是十一人中最年轻的，也是最后被判刑的六人中的一个（详见拙作《燕京大学被封前后的片断回忆》，载北京市政协文史委员会编《日伪统治下的北平》，1987）。事后煨莲师曾为最后判刑的六个人，写了一首《六君子歌》，所描写的都是他在狱中所亲眼目睹的。至于出狱之后，六人各有其道，不是我在这里所能评述的，但是我仍然十分珍贵煨莲师以谐音“为怜”署名所亲笔写给我的这首歌词。其后虽历经浩劫，幸未丧失。在歌词中我师描写我说：“侯生短视独泰然”，其实我那时心焚似火，自己的深度近视眼镜已被日寇扣留，行动不便，只好静坐以待判刑了。

刘半农为自画像题诗

李克非

当年曾在法国巴黎大学获得文学博士学位的语言学专家刘半农教授，归国后在国立北京大学国文系任教，兼任该校研究所国学门导师及北平中法大学浮乐德学院中文系主任，国立北平大学女子文理学院院长等职。

刘半农，本名刘复，江阴人，生于1891年。早年于“五四”文学革命时期即与胡适之、钱玄同、陈独秀、周作人等站在一条战线上，和复古主义保守派进行过针锋相对的战斗，功绩卓著。他生平译著颇多。其中以《中国文化通论》、《扬鞭集》及《瓦釜集》为最著名。

1934年夏，刘氏赴祖国大西北进行当地方言考察工作，不幸于旅途中染“回归热”病，回北平后仅四天而逝。享年四十三岁。

当刘半农赴西北之前，大约在3月间，北平美术学校校长王悦之先生为他画了一幅素描像，工精而酷似，刘氏对此像极为珍爱，且亲笔题上打油诗一首云：

名师执笔美人参，画出冬烘两鬓斑。
相眼注明劳碌命，评头未许穴窬钻。
诗文讽世终何补？垒块横胸且自宽。

蓝布大褂偏窈喜,笑看猴子沐而冠。

诗末题字为“二十三年三月,王悦之先生为余画像,金耐先女士在旁参谋,以打油诗纪之。半农。”

刘氏曾指像对友人说:“要是把这像放大两倍,将来死后,出殡时设在灵像亭中,最是适宜了。”未几,刘氏启程去绥远(今内蒙古)时,许多好友都设筵为他饯别,有人请他写打油诗,又于句内有“人生已逾不惑年,何必再留徒供万人嫌?”没料到,是年7月,即殒命于大西北方言考察工作途中。闻者无不痛惜,海内外报纸多刊载追悼怀念文字,以志哀吊之情。

和平门趣闻

陈　器

说起北京的和平门,这里面还有一段很有趣的史实。在民国二三年间,袁世凯当政时代,有人提议,在正阳门与宣武门之间另辟一门。北通总统府的新华门,南达香厂,门以北为北新华街,门以南为南新华街,不但交通便利,而且更显得总统府的宏敞威严。正要择日动工,而前门外的富商大贾,大为惊骇,怕的是此门开成,影响他们的营业,急忙想法贿赂袁的左右,进言此门万不可开,一开便泄王气,于国家及总统个人均为不利。袁本迷信风水,因此作为罢论。至民国十五年(1926)段祺瑞执政,根据以前的提议,动工开门,仍题名为和平门。次年张作霖入京,有好事者说和平二字往往与“中正”相联,不是吉兆,乃改为兴华门。又次年北伐成功,国民党军队到了北京,又恢复了和平的旧名。二年之间,门额经过三次更换,小小一门,反映时代兴废盛衰,足以供人凭吊。

又北京各城箭楼,年久失修,大半坍塌,民国十六年(1927)将宣武、朝阳二门箭楼拆除,其中木材都是合抱的杞、梓、梗、楠,价值昂贵。当时各官署欠薪累累,员司索取甚急,财政当局正苦无法应付,于是将这批材料售与木商,得巨款后偿还了积欠。一般官员于无意中获得赈济,无不喜出望外,这又是一个趣闻了。

老舍先生的砚

海　燕　宗　时

老舍先生从事写作数十年,常使用的是一方普通的灰黑色石砚。同时,也收藏了一方明清之际著名文人李渔的端溪砚。

老舍先生收藏的这方李渔的端砚,石质纯净,色微青紫,为长方形门字砚式,中有一线凸起约1毫米,全砚长138毫米,宽89.5毫米,高

24 毫米；上有火捺、石皮、黑脉各一。砚侧有篆书铭文一行，字比蚕豆略小，文曰：“笠翁李渔书画砚”。

据舒乙君（老舍先生之子）介绍，此砚是新中国成立之初，曾有收旧物的商贩，到家中来推销几方砚台，此即是其中之一。老舍先生平时不尚收藏，他当时购这方砚，纯属出自对明代文人李渔的一种景仰。此砚石质并不出众，老舍先生很少使用它。

至于老舍先生日常用的砚，倒是一方四川重庆一带所产石质较粗的“学生砚”，因当时先生在重庆写作，纸质粗劣，钢笔不如毛笔好使，故购置此砚。其砚形制正方，墨池正圆，分为砚体、砚盖两部分，尺寸为 158×160 毫米，盖厚 14 毫米，底厚 23 毫米。盖上刻有刀法粗拙的瑞龙戏水图案。但就是这方普通的石砚，老舍先生用它完成了文学巨著《四世同堂》的第一、二部及《火葬》，使它平添了一段佳话。

此两方砚，分别保存在中国现代文学馆和舒乙手中。

袁克良抢亲

涂凌霄

民国元年，北京开禁，有了女子演戏，首先

是来自天津以及邻近一些省份（如河北）的"坤角"们，纷纷到京演出，使北京城的观众耳目为之一新，但也不免有些大惊小怪，甚至有一些捧角好事的人们，趁机起哄。当时的文明戏园（在前门外煤市街南口外即后来的华北戏院旧址），有个女演员名孙一清，年纪很轻，扮相演技相当的好，是一个以演剧为生的女孩。一班好事之徒，编出两句顺口溜，"带兵要带禁卫军，娶妻要娶孙一清"。这个口号分明是套袭汉代阴丽华的故事，却闹得全城皆知。这事被袁世凯的第三个儿子克良知道了，忽然动了汉光武的念头，带了小小的一支军队，直到文明戏园的后台，把孙一清架上汽车，掳进了总统府。那情形很像《虮蜡庙》里的费德功、《艳阳楼》里的高登。事情发生后，不但园里园外的同行以及观众大吃一惊，北京城内的群众也议论纷纷。

因为即使是在满清帝制时代，京都地面也没有出过这样的怪事，何况中华民国？公然抢掠妇女，实在不成体统。但地方官厅以及一般士绅却熟视无睹，不敢过问，一则惧怕"三太子"的势力；二则认为所抢的并非良家女子，不过是个唱戏的。似乎唱戏的就没有公民权，不应该受到法律保障。在那个时代，许多军阀官僚、纨绔子弟娶坤角（即女演员）做姨太太的事情不一而足，一般艺人在旧时代本来不受尊重，而女演员的遭遇更加悲惨。

梅兰芳首次东渡纪实

李克非

1919年4月21日晚8时35分，梅兰芳一行乘专备之花车，执日本使馆为之特发签证，从北京东车站（即前门车站）启程，行前至车站月台送行者，不下二百余人，击毂摩肩，可谓极一时之盛。报刊报道："首途以前，正乐育化会（即梨园公会）于同兴堂设宴公饯，席间宾主互致欢送及答谢词，堂皇典丽，文采斐然，伶界而有此盛举者，自当以是会为嚆矢。此外，中外人士尚多祖饯之宴，而尤以中山公园水榭及长春亭两局为尤盛。"

《春柳》杂志社社长涛痕曾著文记述梅氏东渡事，其《日程》一章记述："4月21日，下午八点余钟，兰芳夫妇抵前门京奉站，乘花车，同行者配角为姚玉芙、姜妙香、高庆奎、贯大元、芙蓉草（赵桐珊）、董玉林、何喜春、陶玉芝、王毓楼；场面（乐队）为茹莱卿（胡琴、碰钟）、陈喜梁（笛箫）、何斌奎（单皮鼓）、孙惠廷（月琴、唢呐）、高连奎（四拉二弦）、唐春平（怀鼓锣）、马宝铭（箫、云锣）、马宝珊（笙、木鱼）、傅荣斌（南弦、海笛）、张达楼（大锣、踏歌）、曹筱轩（云锣、企钹）诸人鱼贯登车，三十五分启行，同业及各界

送行者不下二百余人，太芳照相馆于站上用电光拍照”。

22日，火车经山海关、锦州、沟帮子等处，每一停车，站上之人咸骈肩踵足，思一睹梅之颜色。晚八时，抵奉天南满站，梅氏到大和旅馆晚餐。

23日晨抵安东，过此渡鸭绿江桥，入朝鲜境，入夜改乘卧铺车厢。

24日早抵釜山，乘关釜联络船“对马丸”号，下午五时抵下关。梅氏至山阳旅馆。七时乘特别快车东征，有西部铁道局所派课员三木君自下关送至米原。

25日，经过姬路、神户、大阪、京都、本桥、名古屋、静冈、国府津、横滨等处。经神户时并有华侨各团体及各学校代表欢迎。晚九时抵东京驿。欢迎者站台为满，以留学界中人为最多，新闻记者次之，摄影团以电光拍照不下百余次，途塞不能举步，经留学生多次举梅过顶，冲围而出，乘摩托车至帝国旅馆，追踪而至者甚多，交谈拍影至夜两点钟始散。梅夫妇及姚玉芙同寓帝国旅馆，其余诸人则寓旧内务大臣官舍（即已废之官邸），由中国饭庄供馔。梅氏首次出国之盛况，于此可见一斑。

忆先父马宗融

马小弥

我的父亲马宗融（1892—1949），是回族，曾任复旦大学文学院教授。抗战期间，他参加郭沫若、阳翰笙领导的文化工作委员会，从事抗战文艺工作。恰好与父亲有旧交的白崇禧此时亦从武汉到重庆，组织回教救国协会，自任理事长，父亲任副理事长。

由于父亲的促进，也因为白崇禧的秘书谢和赓（其妻为著名影星兼作家王莹）的关系，中华全国文艺界抗敌协会中的许多作家和回族上层人士（如马松亭阿訇等）建立了很深的友谊。重庆的清真寺和白崇禧所投资的"百龄餐厅"成为"文协"作家们一个绝好的聚会处所。纪念老舍从事创作二十周年以及为戏剧家洪深祝寿等，都是在这里举行的。老舍先生曾登台表演过相声和双簧。

文协会刊《抗战文艺》在1940年刊出过《回民生活文艺特辑》，《回教救国协会会刊》上也经常出现文协作家们的文章。如今，这两种刊物都已为北京图书馆所珍藏。那时重庆的抗战文艺活动在周恩来的关怀下搞得轰轰烈烈，新人辈出，繁花似锦，话剧更是异军突起。从1940年至

1945 年,大型话剧如阳翰笙的《天国春秋》,郭沫若的《屈原》,吴祖光的《风雪夜归人》,曹禺的《北京人》等,都是一时杰出之作。父亲以回教救国协会的名义,约请老舍、宋之的写的《国家至上》,也是其中之一。《国》剧是一部宣传回汉团结共同抗战的三幕话剧,得到郭沫若的“中华万岁剧团”的大力支持,由马彦祥导演,张瑞芳、魏鹤龄、孙坚白等任主角。以回教为题材写成的话剧,在中国文艺史上当属首次。此剧后来在昆明、成都、大理、兰州、西安、桂林、香港乃至西康上演,经久不衰。在回族人士中影响很大。

父亲还曾约曹禺以清末回族将领左宝贵在甲午之战中英勇捐躯的事迹为题材，写一部民族抗战剧。后因种种原因,此剧未能问世。

父亲还在复旦大学创办了“垦殖专修班”,从全国回族青年中招生,学制二年,毕业后回乡工作。又办“回教文化研究会”,老舍、宋之的等皆为此会会员。他还写了许多文章,如《中华民族是一个》等。这些,在现代回族文化史上,都是值得纪念的篇章!

冬宫收藏黄宾虹山水画

少求

1959 年秋末冬初，我国留学生吴元迈自列宁格勒大学归国。他在回家乡安徽歙县探亲时，曾与我谈起祖籍歙县的国画大师黄宾虹。他说，在苏联列宁格勒冬宫博物馆还陈列着黄宾虹的两幅山水画。这两幅画是怎样去苏联的呢？吴元迈不知道。

事情也凑巧，二十五年后的 1981 年 5 月间，我国围棋大师过旭初专程来歙县，参加纪念新安画派始祖释渐江逝世三百二十周年暨黄宾虹诞生一百二十周年的活动。其间，他对我说起苏联冬宫收藏黄宾虹山水画一事，不想此事竟是由他一手经办的。

那是 1950 年 2 月，毛泽东、周恩来等一行出访苏联，在签订了《中苏友好同盟互助条约》以后，登门拜会了斯大林，对苏联政府给予的无私援助表示深切感谢。毛泽东对斯大林说："我们中华人民共和国刚刚成立几个月，没有什么可拿来感谢你们的，很是抱歉……"斯大林幽默地含笑说道："这倒不妨，应该体谅。但我还是希望你们给我一两幅富于中国传统特色的中国画，不知意下如何？"他并且表示了对中国画家黄宾虹山水画的赞赏。

周恩来回国后把此事交给陈毅去办。一个偶然机会，陈毅和围棋大师过旭初对奕。正当激战犹酣之际，突然想到向黄宾虹索画之事，他知道过旭初与黄宾虹为同乡挚友，便请他代向黄宾虹索画两幅……

此事在《宾虹书简》1950年自杭州发出的《致过旭初》函件中可见。

白石老人画虾

齐良迟口述　卢　杰整理

先父白石老人善画虾，已为人所共知。然而知其画虾风格、技法的变化过程者却不多。

父亲画虾是在五十五岁以后，经历了约四十个寒暑，其间几经变化，终于达到传神的境界。这种刻苦追求、精益求精、不断进步、锲而不舍的精神，是他成功的根本。

白石老人早年画虾，用小号羊毫笔，所画多是游动的群虾，画得密集，但穿插错落有致，远近浓淡得宜，俨如一幅虾族图。

为求画得神似，老人七十岁以后，在画案靠

右手的水盂中养着几只小虾，朝夕观看揣摹。记得有一天，老人对我说：“你看虾在水中的样子，不是一条直直的，也不是弯得像半月形的，而是有起有伏，成两个不同方向的转折角度，当它欲跳时，这起伏角度就更加明显。”他不但说给我听，同时还用手和腕部作出不同的弯曲角度给我看。

他这时期画虾，已经由小号羊毫笔改用一号羊毫提笔，并一改早年的画法，加大并明确了虾身的起伏角度；同时，对虾的游足，也一删早年时的繁多，仅画游足五只。这一简化过程，为父亲八十岁以后画虾的转变——删繁就简——奠定了基础。

或有人问，白石老人早年与晚年画虾究竟有何区分？可以很简单地说：若以电视镜头比喻，早年为虾之群体写照，晚年乃是虾之特写镜头。特写镜头意味着艺术的升华。

父亲八十岁以后，已不再画繁密的虾群，只为几只虾传神，更重要的是仅画六条大须，略去了小须。虾须的变化，使得画幅的空间加大，突出了虾的游动神态，虽三四尺条幅，画虾仅四五只，足可使画幅充盈。

虾须的简化使其触觉感随之突出。老人还特意从笔店订制了一批专画虾须的长锋笔，这是他晚年画虾须在触觉感上不同前期的主要原因。父亲画虾的变化过程，当然还包括各节虾钳的比例，虾足的游动状态等，在笔法上都作了相

应的改变。此外，活虾在水中两眼与头部略成角度，微向前斜。这与老人画工笔小虾和早年画写意虾是相同的。到了晚年，为了强调画写意虾的神采，着意作了与虾头垂直画眼的艺术夸张。老人认为："粗大笔墨之画，难得神似；纤细笔墨之画，难得形似……"画写意虾更传神，虾眼垂直于头部才更具神采。

白石老人画虾传神，举世公认。如今，老人谢世已三十三年，但他的艺术光辉仍放射着异彩。齐派"妙在似与不似之间"的画法，仍在海内外国画界有重大影响。

林彦博的指画

傅耕野

指画，唐代已有，张璪即以手画。清代乾隆时且园高其佩，享有盛名，著《指头画说》，叙述指画用指、用色、用墨方法。

林彦博，满族，正蓝旗人，西林觉罗氏。父孚琦，清末任刑部右侍郎，署广州将军，与当时指画名家聋道人刘锡玲友善。彦博幼聪颖，喜观聋道人作画，日久有悟，遂能以指代笔。

彦博指画，民国十七年（1928）应"中日美术协会"之邀，在大连举办画展，自此声名大振。遂先后又在沈阳、北京、天津等地多次举行画展。

彦博的指画，花鸟、人物、山水均能。著《续指头画说》，对怎样画花卉？怎样画草虫？怎样画鸟？怎样画乳鸭？燕子黄莺用哪个指头画？锦鸡、孔雀用哪个指头画？蝴蝶、蜜蜂用指尖画，荷叶、芭蕉用指背画，以及山水画中的骡马车船，人物画上的鼻眼须发，各有各的用指之法，均有详尽说明。

彦博诗、书、画俱佳，诗学唐代李义山，字学宋代黄山谷。每幅指画上均有题跋，画中有诗，诗中有画，相辅相成，相映成趣。如画蓼花鹌鹑，题曰：

秋光澹，最宜人，
红蓼萧疏不染尘；
花底试翻新乐府，
双声自制斗鹌鹑。

画山水，征帆古柳，题曰：

丹崖中断碧江开，
无数征帆逐雁来；
老柳霜亭回首处，
不知身在楚山隈。

彦博门下，桃李成蹊。民国后彦博曾执教于北平铁路大学、国立北京艺术专科学校，讲授《诗词》、《中国书画史》，并在家课徒。弟子中孙菊生、郑珉中、傅雪漪，次子绍博，在绘画、篆刻等方面，均有很大成就。

忆溥心畬书画

宁砥中

溥心畬先生为海内外著名山水画大师,夙有“南张北溥”之誉,与张大千先生齐名。早在30年代,其诗、书、画即蜚声文化界,众所周知。

我随先生学画数年,先生对弟子传授书画,以极简之言,道出其中奥妙。一字、一石、一树、一山,如何下笔、如何变化,如何由一笔而发展成一完整之形体,历程分明,方法捷简。

先生喜好盘膝而坐,口讲手挥,使学者顿开茅塞, 受益良多。先生常道:“读书必从理学入手,故先学庸,讲求性理;后及尔雅、说文至汉儒训诂之学,旁及诸子百家之书,以至诗古文辞,据此求学,其途则正。”书法始学篆隶,次北碑,右军正楷,兼习行草。习大字以增腕力;习双勾古帖,以练提笔,应博采众家,去粗存精。若绘画,则以府中所藏历代名画之便随意临摹,并无师承。喜游名山,兴酣落笔,可得其意。书画一理,即可触类旁通。只不过有师画易,无师画难。无师画,必须自悟而后得;由悟而得往往工妙,意境深邃,但初学入门不易。

先生的诗、书、画,为世人所推崇,为近代所罕见。画因体悟至深,造诣超群,笔墨清秀,高雅绝伦。虽然,三十岁时始攻绘事,因其诗文书法基础深厚,故出手不同凡响。

缅怀吾师溥心畬

宁砥中

我于 1940 年经北京拈花寺量源法师介绍,得拜心畬先生为师,学画山水。因先生时居颐和园内介寿堂,由城北鼓楼去颐和园往返五十余里。每次谒见,不管严冬酷暑,雨雪风寒,必定前往,1948 年先生离开大陆,迄今四十余年。现就吾师轶事,略述一二。惟岁月悠悠,相隔日久,记忆不全,难免挂一漏万。

先生生于清光绪二十二年,是道光皇帝的曾孙,恭亲王奕䜣之孙,末代皇帝溥仪的从兄。先生少年时代,在北京什刹海西沿恭王府度过,自幼聪敏过人,十岁能诗,十一岁开始作文章,并参加北京古文社,因文章出众,时获奖励。生平著作,有:《寒玉堂文集》、《西山集》、《戒台寺志》等。画册有《心畬妙墨》及国外出版的《溥心畬中国画册》等。

辛亥革命推翻了清王朝。先生未及弱冠即偕清媛夫人迁至西山戒台寺隐居,终日与僧侣为伍,徜徉乎云松山泉之间,发奋读书,刻苦研究诗、书、画。曾治两方闲章,一为“旧王孙”,一

为"西山逸士"。并力求于书画中寻得精神寄托。

30年代先生在北京画坛声誉鹊起，时人多看重其画，而先生则更喜欢自己的书法。先生以"旧王孙"之雍容大度写山水，而书法则像"西山逸士"飘逸洒脱。其行草以二王为基础，更熟悉唐孙过庭之《书谱》，对北宋苏、黄、米、蔡四大家书法颇多借鉴，兼收并蓄，自成一家。

先生以书画同源道理教育弟子，常说："中国画以书法用笔作画，其画格自然高雅而脱俗。"先生楷书以欧（欧阳询）、柳（柳公权）为基础，以二者之长兼学清代书法四大名家之一成亲王书法结构，可说是青出于蓝而胜于蓝。其楷书刚健秀挺，别具一格。

先生教导弟子："人品第一，画品第二。若人品不佳，虽有高超艺术，亦不足取之。宋之秦桧，明之严嵩，均能书，因人品极差，被后人所不齿。"先生山水画浅绛色居多，虽淡施丹青，而所绘之物并不显色薄。其挚友张大千先生对先生甚为钦佩，每有古画卷轴标签，多请先生书写，以示珍贵。二人同居北京西山时，经常合作书画，被世人誉为南张北溥。

北平艺社—四宜社—文艺学社

孙菊生

在1924年春节后，十一岁的我随先严到中山公园（当时称中央公园）水榭参加北平艺社第一次集会，我当场画了一幅工笔菊花，以后我时常在星期日参加活动。

北平艺社的全称是北平艺社金石书画会。是由指画家林彦博（满族人广州将军孚琦之子）发起，以铁路协进会的关颖人（赓麟）、金孟仁（国宝）、杨仲子（祖锡）、李仲翔（翱）、恽匡岑（宝襄）等为基础，结合当时的社会名流如寿石工（钤）、邵逸轩、吴南愚（岳）、孙诵昭（宋若）、贺履之（良朴）等所组成，由罗韫之（宝珍）任会长。1925年春开画展于中山公园董事会，极一时之盛，并成立讲习学校于西长安街路北（铁路协会内）。翌年秋，会员赵醒公、赵伯贞在北海公园漪澜堂后边另组北海艺社，数月即自行解体。北平艺社已由家严代为借用中山公园四宜轩作为会址，但不久因故而停止活动。1928年国都南迁，国立北平艺术专科学校改为北平大学艺术学院，由杨仲子任院长，一部分原北平艺社会员到艺术学院任教。寿石工、杨仲子请家严代借四宜轩为会址，改组为四宜社，推举凌砚池（霄风）

为社长。会员有杨伯屏（宗翰）、杨丙辰、孙诵昭、宋君方、袁陶庵、杨潜庵、向仲坚、吴迪生等，不久寿、凌二先生发生龃龉，杨仲子每星期日电约家严在来今雨轩商议调解办法。商议后由我代寿先生征求意见，因我是小孩，好说话，但不能再行合作，画会遂告解散。

四宜社解散后，寿先生当即在西半壁街鲍贵卿将军花园中组织文艺学社，会员中有两位大胡子名画家，即王梦白和汤定之，每到会期，很早就到，挥毫不辍，因为这两位大画家的号召，各画家全都兴致勃勃。转年又迁到公园水榭，徐悲鸿自南京来京，张大千自上海来京，张聿光随胡蝶北来，全到会作过画。

最值得一提的是另外两位会员，一是乔大壮，一是黄秋岳。二位全是先叔伯恒公在译学馆的同学，忽然平地一声雷，两位布衣之士，乔任铁道部主任秘书，黄任军事委员会机要秘书。松沪战起，乔愤国事而投湖自杀，黄因向日寇泄漏军事秘密而伏法，华北沦陷后，文艺学社自行解体。

鲜为人知的书法家

范节庵

解放前的荣宝斋南纸店，一进门向里直走是内店，靠东面是一张八仙桌、两把太师椅，西面是很长的大栏柜，上面铺着蓝布，每天下午关店以后，柜上的学徒都利用栏柜练习毛笔字，从而也就造就了一些鲜为人知的书法家。这些人能摹仿清代的翰林，诸如陈宝琛、朱益藩、刘春霖、袁历准、陆润庠、翁同龢等人的字，所摹仿的字几乎达到乱真的地步。这和他们每天守着名人书画，耳濡目染，接待文人墨客，聆听对书画的议论，有着密切的关系。另外还有一些以笔耕为业，工夫极深的人，现在已经不多见了，下面略举几人：

陈拙儒，专为南纸店书写寿屏、对联，无论是七言对、八言对，从不打格、叠纸，体宗二王，信手写来，匀称规矩。有人见他用十张方纸同写一个"人"字，然后把十张纸摞在一起，笔画完全一样粗细，毫厘不爽，足见工夫之纯深。

阎善子，是古玩商韩少慈的师弟，善仿乾隆御笔，可以乱真，人人称他为"阎御笔"。

沈凤祥，善书蝇头小楷，能在二厘米宽的竹扇骨上，书写十二行小字，神形俱佳，可称绝技。

张建轩，北京人，久居天津，专门为古玩商伪作古代名人绘画，摹仿历代名人题款，均能达到逼真神似。

丁立元，曾在隶古斋古玩铺学徒，曾拜赵世昌门下，此人善书章草，摹仿古人书画，均可乱真，聪颖过人。张伯驹先生对他敬为上宾。

刘泽甫，能摹仿名家对联，曾摹写沈尹默对联，被古玩商名人靳伯声当真迹买下。

徐兰沅先生是梅兰芳先生的琴师，在和平门外南新华街开设“竹兰轩胡琴店”，此公书法能摹仿樊增祥（字樊山），竹兰轩店内遍悬樊增祥的对联，形神俱佳。

宁鲁瞻，系清秘阁纸店学徒，能摹仿 20 年代数家翰林之字，均能乱真。

此外还有一些鲜为人知的书法家不一一列举。

忆“九友画社”

涂佩遐口述　王大炜整理

我是山东人，1923 年考入北平国立艺专。当年国立艺专学生中除我之外还有七位山东人。他们是：袁仲沂、孙功符（女）、王仲年、何吉祥和我都在西画系；而李苦禅、阎爱兰（女）和王香芝（女）都在国画系。

就在我入学的当年，我们八个山东老乡，由袁仲沂挑头，成立了个画社，因袁仲沂在我们八个人中年岁最长，就由他主持社务。王雪涛当时也在校学习，他先是学西画，后由于酷爱国画，即转到国画系。他是河北省成安县人，大家都很敬重他，因此我们就吸收他这样一位非鲁人参加了画社，起名“九友画社”。

“九友画社”最主要的活动，就是在一年中办两次画展。当时校方也很支持我们，每到寒暑假前夕，就把学校礼堂借给我们办画展。这些画常受到学校师生的好评，在学生中颇有一些影响。

“九友画社”因其成员陆续毕业，各奔前程，自行解体，但我们之间的友谊却天长地久。九友中王仲年与孙功符结为伉俪，我与王雪涛在1928年也由校图案系主任黄怀英先生做红娘结为百年之好。二十几年后，我们与袁仲沂又结为儿女亲家。王雪涛和王仲年的友谊甚笃，解放后两人一直来往，共同作画，直至两人去世。

现在九友中的八位都已作古，独我一人在世，而今也虚度八十有五了。每思往事，心里总是充满了无限的怀念之情。

广文斋古钱铺

范节庵

随着时代的变迁，社会的进步，街道上各类商店逐渐淘汰了旧的形式。旧社会的商店，大都一进店门横在面前的是三尺多高二尺左右宽的木栏柜，上面蒙着蓝布，通往里面有一个活板，可以掀开，以便进出，柜台里面陈列商品，靠一角是一间套间，是帐房（相当于经理室和会计室），门上悬一横匾题曰："藏珍"。有的店铺在柜台一端立一块竖匾，约四五尺高一尺多宽，上有亭式顶帽，下有莲花座，黑漆地填金字，刻有"童叟无欺"四个大字，或者是"货真价实"，为的是博得顾客的信赖,此是经营茂盛的真谛。过去的老字号首先是信誉第一,其次是经营独特的商品,以招徕顾客。例如琉璃厂文玩店,家数很多,但是都有各自的经营特色,包括名人字画、古瓷、铜器、图章、端砚、文玩杂项等等,各有专长。

在西琉璃厂中间路南有一家"广文斋古钱铺",专门经营古钱币。该店开业于清咸丰五年(1855),经理名叫刘三戒,河北献县人(即古瀛州故地),务农传家,因连遭荒年,携眷逃来北京,在宣武门外西晓市摆地摊,售卖旧书帖维持生计。数年后刘稍有积蓄(因在某一富家购得大量古钱),即在琉璃厂开设"广文斋古钱铺",由刘三戒与其子刘廷锡共同经营,因当时琉璃厂尚无专营古钱的商店。一时收藏古钱币专家争相选购,生意很兴隆,营业期间又向收藏专家请教,学到辨别真伪的诀窍。从此资金多了,识别古钱的技能提高了,就经常去山东、河南、山西等地村镇收购散落民间的古钱。因以专营古钱,不售赝品,故此名噪一时,人多以"古钱刘"呼之,而广文斋字号却鲜为人知。

从刘三戒传至其子刘廷锡,又传至其孙刘文清,后因刘文清热衷仕禄,又转由其弟刘文铎经营。

刘文铎继承经营后,除刻苦自学外,又求教于专家,古钱币及甲骨知识颇为广博。后因吸食鸦片,营业亏累,广文斋乃于1940年以后倒闭。

"广文斋古钱铺"兴盛时期,当时古钱收藏家诸如董康、罗振玉、方药雨、袁寒云、溥心畬、鲁迅以及大学教授、文史界学者、名流都是该店常客。

外商有日本、东西欧各国商人前来光顾，店主虽不谙外语，但经交往均成好友。有一德国商人对店主说我因老了，今后不可能再来了，请允许我把你和门面拍照下来，将来我的儿子可以持照片寻找你做生意。“广文斋古钱铺”是一间门面的小铺，匾额是刘松龄书写的。后来这个德商的后代果然持照片找到该店，买去了不少古钱。

由此看来，古玩商的经营，首先是信誉，不售赝品，这是“广文斋古钱铺”生意兴隆持久不衰的原因。

晚清书坊聚珍堂

魏隐儒

明清以来，雕版印刷与活字排版印刷并行于世。清乾隆三十八年(1773)，高宗弘历命四库馆臣校辑《永乐大典》中的散简零篇和各省进呈的历代遗书，从中选择世所罕见而有裨益于世道人心的书籍，交由武英殿刊刻流传，由四库馆副总裁金简承办其事。金氏考虑以刻板印制，费工费料费时，板片成本浩大，于是奏请用枣木活字排版印刷，高宗御批甚好。但认为“活字”的名称不雅，改称“武英殿聚珍版”。自此活字排印又称“聚珍版”。

聚珍堂，是清同治年间开设在北京东城隆福寺街东口内路南的一家书坊。主人刘魁武，河北省束鹿县（今辛集市）马庄村人。书坊初名天绘阁，因出版书籍想从雕板转向枣木活字排印发展，故易其字号为聚珍堂。

聚珍堂雕印和排印了很多书，版式以中小型为主，选本以民间读物为重点。鼓词小说多用活字排印，《五经》《四书》则多雕板。书前印有封面，题“京都隆福寺路南聚珍堂书坊梓行”双行牌记。版心下刻“聚珍堂藏板”。刻书所用底本，皆经慎重遴选，详加校勘。光绪四年(1878)所刻《四书》，前有跋云：“《四书》为学者所必读，字画最宜精详，第迩来坊间售本多缘历年翻刻，印行既久，其中不无鲁鱼虚虎之误，窃甚憾焉！爰以殿本详加仇校，另为新跋以付剞劂，固不敢谓便来学，要无讹误足矣。兹缀数言，以申夙志云耳。聚珍堂主人谨识。”可见其刻书是比较审慎的，所印各书字画清晰。其活字排印本，据知见有：《绣像王评红楼梦》四套，《济公传》（又名《醉菩提》）一套，《红楼影》一套，《批评儿女英雄传》四套，《忠烈侠义传》（又名《三侠五义》）四套，《红楼梦赋》一本，《续红楼梦》二套，《文虎》二本，《续聊斋志异》二套，《聊斋志异拾遗》一套，《蟋蟀谱》一本，《艺菊新编》一本，《御制悦心集》一套，《想当然耳》一套，《历代史略鼓词》一套。

正是由于主人集中力量排印民间所喜爱的鼓词小说为其发展业务的方向，在读者当中产生了很好的影响，也就符合了他的字号聚珍堂。

长春堂与长春观

安冠英

长春堂是一家座落在北京前门外的老中药店，清朝乾隆末年开业，如今虽在规模与业务范围上大大超过了历史上的任何时期，但长春堂的老字号牌匾却没有更换。长春观是坐落在北京永定门外的一座道观，是1863年出生的长春堂创业者的后裔孙崇善修建的。长春堂与长春观似乎风马牛不相及，但二者关系极为密切，长春堂的发迹似乎离不开长春观。

长春堂药店开始只是一家生产闻药的小店，孙崇善经营时开始生产避瘟散，并以其独特的效果，一度取代了日本的仁丹与宝丹而独占市场。提起孙崇善研制、推销避瘟散还有一段趣闻：孙崇善婚后不久，不知何故便到房山县顾珊村娘娘庙受了戒，做了火居道士。不久又在永定门外修建了长春观，并经常住在观内供奉香火。孙崇善号三明，受戒后便蓄发梳鬏，穿道服，行道礼，出入观宇，被人尊称为孙老道。一次在供奉香火时觉得香味很好闻，便萌发了研制新闻药的念头。在长春观里他多次研碎香条，发现香粉粗糙干燥，很不适用。之后在道观和药店反复试验，逐渐加入一些中草药，最后在香粉中加入薄荷、冰片、朱砂、麝香、甘油等成分，成功地研制了一种新的闻药，取名避瘟散。为扩大销售，孙崇善在包装和商标上又做起了文章。

避瘟散成药装在一个锡制的八角型的小扁盒内，每盒装在一个小纸袋内，纸袋上印着孙崇善身着道服的头像，胸前双手抱着一幅八卦图，图中有避瘟散三个字，这种包装和商标既突出了孙崇善的形象，又迎合了当时人们迷信的心理，俨然以仙风道骨的形象给人们送来了长生不老之药。避瘟散问世后十分畅销，自此长春堂生意日益兴隆，产品除销国内，还远销东南亚，名声大震。

1926年孙崇善去世，他的内侄张子余任经理。张子余原是长春堂药店职工，后在广安门外白云观出家，受戒后为火居道士。张任经理后，同样经常居住在长春观内，身穿道服，并经常坐着八抬大轿，雇请乐队开路，一路吹吹打打，吸引了无数行人，张子余乘机将避瘟散广为散发，起到了活广告的作用。自此避瘟散销量猛增，1924年只销售三四万盒，1933年高达二百五十万盒。张子余在北京、太原等地又开了八家大小企业，如北京亿兆百货商场等，成为北京商界四大巨头之一。

旧京商店的幌子与招牌

靳　麟

我国商店挂幌子，已有两千多年的历史。据《韩非子》载："宋人有沽酒者，悬帜甚高。"可以为证。又北宋人孟元老的《东京梦华录》说："街市酒店，彩楼相对，绣旆相招，掩翳蔽日。"张择端画的《清明上河图》就是北宋时期汴梁（开封）城内外各种商店的情景。可见在北宋之时，幌子就已盛行了。直到新中国成立前，北京的大部分商店仍沿用此种形式以招徕顾客。

幌子，也叫望子，它有几种形式，有的在布旗或小木牌子上，写明所卖的货物；有的是画着货物的图样；有的是挂着一个行业通用的标记，如酒铺儿挂着一个锡制的酒壶，下边缀着一条红布；切面铺在门前挂着一个罗圈儿，下边糊着流苏（黄色的纸穗儿，回教的则用蓝色的）。有的大铺子，在门旁竖立一个木制的大招牌，高过于房，宽有二尺，白地黑字，写着出售货物的名称。《燕京杂记》上说："招牌有高至三丈者。"所谓招牌，就是引人注目，以广招徕。因为它很高，所以也叫"冲天招牌"。来往行人，从远处就可以看见。

从前，顾客在商店买好货物，铺伙把东西用蒲包包好，或是用纸匣子装好之后，还在上边加上一张红纸金字（或黑字）的门票，上面除印着字号、地址、出售什么货物之外，还有“只此一家，并无分号，请认明本铺字号及冲天招牌，以防假冒”等字，可见他们对于字号与招牌的重视。

戴月轩湖笔店

范节庵

谚云：“笔墨精良，人生一乐”，这对爱好书画的人是深有体会的。有人说好墨研出来或写出字来，就像婴儿眼珠一样黑亮有神。好的毛笔写起字来得心应手，运用自如，真是人生一大快事。

过去的“戴月轩湖笔店”的经理戴月轩是制笔专家，闻名海内。他是笔的故乡湖州人氏，名叫戴斌，十五岁进北京在琉璃厂路北“贺莲青笔店”学徒。贺莲青也是制笔能手，后来年岁大了，把制笔工艺全叫徒弟动手，徒弟当中以戴月轩手艺最好，他制的笔在笔杆上都加刻“戴月轩制”字样，顾客都点名购买刻有“戴月轩制”的毛笔。过了几年，自己有了一些积蓄，于1916年在“贺莲青笔店”东边路北开了一座“戴月轩湖笔店”。一开店就把过去的主顾都吸引过来，生意非常兴隆。由于笔的质量高，人人爱用，利润也高，例如，他在湖州善琏湖购进的湖笔（小楷羊毫）每封（合一百支）羊毫笔的进价一元四五角钱，合每支一分四五，经过他摘毫以后，门市卖两角一支，顾客买一支小楷羊毫，可连续使用达三个月之久，其他如狼毫、兼毫、各种画笔，凡是经他摘过就特别好用，而售价也很高。书写蝇头小楷的专家沈凤翔、董立言，到戴月轩笔店买笔还要请戴先生再加工，摘得更苦一些，以便更好用于书写蝇头小字。

北京典当业二三事

沈鸿娴

典当业在我国有着悠久的历史，到清朝典当业更为兴盛。据说清代左宗棠驻扎新疆时，为给发配犯寻一生路，即允许他们集资设立押店，后来赦释的犯人返京后，仍操此业。所以北京城的典当铺一直沿袭着狱中设典的一些形式，如大门前有一束油布扎箍的幌子，即仿原来监狱中曾有过在牢房门前挂着一件衣服或雨伞的暗记形式；另外当铺用砖砌着很高的院墙，红色的木栅，院内用石头盖起的高大瓦房作为库房，房檐均以石头刻成柱子作为窗户，一如监房（现在北京有的街巷尚有当铺房的遗迹）。营业时伙友们坐在很高的柜台旁的高凳上，犹如老爷问案。当铺叫门的习俗更似叫狱门的作法，如外出归来的伙计在叫门时只喊一个“喂”字，里边开门答一声“噢”，方可开门。当然这样做也为防止陌生人抢当铺。

旧京典铺的习俗也是饶有趣味的。当铺里供着三位神仙，正位是“财神”，侧位分别为“火神”和“耗子神”，每月的初二、十六都要向天上主宰工商业的财神赵公元帅和两位偏神上供。烧香磕头之余，还要另祭奠叮嘱一番两位偏神，因为水火无情；如果惹恼了那位啮齿动物，那些贵重的貂皮、海龙、丝绸等典当物，就难免被耗神咬坏，当铺就要大破其财。

当铺春节开市也是富有戏剧性的场面。正月初二凌晨，铺堂众人按等级职位以次排列，相互团拜礼毕。总导演大缺（当铺内较为高级职称）传令开当铺门，四门大开，算盘摇动三通，这时从大门外跑进三位童子（实质安排好当伙计），第一个手拿银锭元宝，第二个怀抱一大瓷瓶，第三个手执一柄如意，进来贺年。三件吉祥物都有个讲究，一为“立市之宝”（银元宝）；二为“平安如意”，取其“瓶”音；三为“吉祥如意”，取其“如意”。将这些吉祥物都放在柜台之后，又从外面走进一位当客（实质已安排好的），身着紫绵衣，手拿土黄色白裤腰长裤一条前来典当，业务人员焉敢怠慢，来人张口要价白银二两，管帐先生立即开票、付钱、编入第一号当物。当然此裤不用赎，早已够本有余，主管伙计立即将此裤入库，做为镇库之宝物了。

旧京饭馆的堂倌

靳　麟

无论是大饭庄还是小饭馆儿，堂倌非常重要，因为他是与顾客直接打交道的。

堂倌，又名走堂的，俗称跑堂儿的。据一位老堂倌说："堂倌得先学徒三年零一节，师父带徒弟，叫他们要记住四个字'勤、和、清、净'。"① 清代的《都门纪略》中说："走堂，市廛、茶馆酒肆，俗尚年轻，向客旁立，报菜名至数十种之多，字眼清楚，不乱话，不粘牙，后堂一喊，能令四座皆惊。"

从前北京的饭馆儿讲究"响堂亮灶"，有的把灶立在铺内的前脸儿，堂倌在堂口一喊菜名，灶上的勺声当当地连响，显着饭座儿多，买卖兴隆。

顾客进来，堂倌给找了座位，立刻沏茶，稍等一会儿，才问客人喝什么酒，要什么菜。早先

---

① 1.勤，要口勤、手勤、腿勤、眼勤。
2.和，要态度和蔼，说话不能生硬。
3.清，要头脑清醒，能灵活应付，要口齿清楚。
4.净，手脚要干净利落，尤其要语言干净，不可乱说，不能粗声大气"。

的饭馆儿都没有菜牌子，各样菜名，堂倌全是记在心里，顾客让他报一报菜名，他马上就报出许多菜名来，口齿清脆，一个接着一个真是滚瓜烂熟。

对顾客说菜饭的时候，堂倌还得注意碍口的地方，如卤鸡块说"卤牲口"，摊鸡蛋说"摊黄菜"，高汤甩鸡蛋说"高汤甩果儿"，饺子说"扁食"，醋说"忌讳"。对客人不能说"您还要饭不要啦"，得说，"您还添点饭吗？"尤其对于女客人，更应注意。

堂倌还得随机应变，比如说，客人要个烹大虾，其实今天他们柜上并没有大虾，他不说没有，而立刻回答："我实对您说，今天有大虾不新鲜，您换个别的吧。"顾客听了，信以为真，认为这个堂倌挺诚实，还很高兴。

算帐的时候，堂倌当着客人的面儿，不用算盘，也不用笔，按着每个盘碗说菜名，报价钱，一个一个地加在一起，不管多少样儿，清楚利落，一连串算下来之后，再重复一遍，前后的钱数，单的总的，一分也不差，然后把总钱数告诉顾客。他们这种本领，绝不是三朝两夕所能练出来的，真是难能可贵，实在令人非常敬佩。

顾客高高兴兴地付了钱，另外还给一些小费。临走的时候，堂倌站在堂口上高喊："会过啦，外赏小费。"站柜的答应着"谢谢"。还对顾客说："您慢走，请您常来照顾。"

如果堂倌对客人招待不周，客人挑了眼，晚

上铺子上板儿之后，掌柜的要问问事情的起因，要是堂倌的小错儿，也就说他几句，叫他以后注意。大错儿，那就叫他卷铺盖了。

旧北京的理发业

成善卿

清军进关之前，明末时期，士人之发，系留全部，谓之“拢发包巾”，状如道士之发式。至清代，则令世人将发辫放落，四围皆剃去，留存辫顶之一部分，名之曰“剃四外，留中原”，违者斩首，谓之“留发不留头”。官办的剃头挑子，遂由此而兴起。

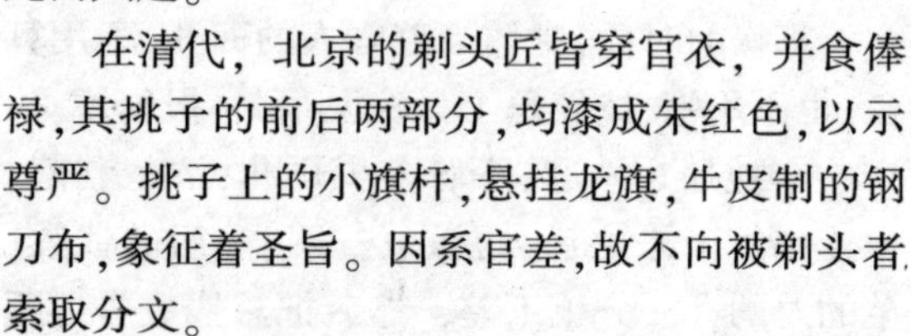

在清代，北京的剃头匠皆穿官衣，并食俸禄，其挑子的前后两部分，均漆成朱红色，以示尊严。挑子上的小旗杆，悬挂龙旗，牛皮制的钢刀布，象征着圣旨。因系官差，故不向被剃头者索取分文。

旗人对于发辫极为讲究，如“松辫”、“紧辫”、“锅圈儿”、“前后孩儿发”等。梳理修饰颇为费工，故每每赏剃头匠以“酒钱”，久之遂成为惯例。

清亡后，剃头匠由官差变为个体经营，并集中在比较繁华的地区，为避风雨，搭布棚或席棚营业。后来一些剃头棚进一步发展为小规模的理发馆，并增设了女部。

原始的剃头挑子，并未因理发馆的出现而消失。它与日趋华丽的理发馆共存长达三十年之久，直至1965年才销声匿迹。

当年那些走街串巷的剃头挑子，只要路过理发馆门口，就要暂停打“唤头”（用优质钢材制成的一种招徕顾客的响器，形状近似于镊子），以此表示恭谨和谦让。

由剃头挑子进化而成的理发馆，为图发财而陆续增添了“打眼”、“掏耳朵”、“放睡”等服务项目。所谓打眼，即眼部按摩。顾客轻闭双目，剃头匠手持一根儿四寸长、顶端呈珠子状的骨头针，令珠状物在眼皮上轻轻地滚动；大凡有眼睛干涩、视物模糊或眼离、眼跳者，一经打眼，各种不适感即时消失。掏耳朵，人人皆会，但不如剃头匠掏得那么熟练，那么轻松，那么舒服。一根儿耳挖勺和一根儿耳绒，先后在耳朵里连掏带捻，随着一阵阵的快感，耳垢被扫荡得一干二净。至于放睡这种从头顶到腰眼儿的按摩，更是剃头匠的拿手好戏。但见他两手并用，忽而捏，忽而掐，忽而捶，忽而攥，穴位找得是那么准，劲头儿使得是那么匀，节奏感又是那么鲜明。这种令人心满意足的享受，即便在号称现代化的美发厅里，也很难得到了。

胡适交游甚广

章长炳

胡适的一生，政治上不足称道，就其平易近人和热情好客而言，有时却受到人们的赞赏。

胡适青年时期曾在自己的照片上题过这样一首诗："清夜每自思，此身非吾有。一半属父母，一半属朋友。"他的这种思想，从他一生广交朋友的行动中得到了证实。

胡适逝世于 1962 年 2 月 24 日。据海外报刊报道，台北各界为胡适送葬的人群浩浩荡荡，队列长约数里。人群中，上有党政要人，知名学者，下有贩夫走卒，妇女儿童。也有不少工人农民拈香路祭,情景生动感人。

胡适学贯中西,名扬天下,曾任国民党政府驻美大使多年,也当过多年名牌大学教授和校长。但他从来不摆架子,平易近人,毫无官僚习气。

胡适早年留学美国,他的同窗好友中有一位名叫史塔的美国人,抗战前曾到上海开保险公司,因为中国人那时候对保险业务不理解,投保的人寥若晨星,以致史塔保险公司生意萧条,几乎倒闭。于是,史塔风尘仆仆来到北京,就教于胡适。胡适十分慷慨,不但热情接待,而且还设宴邀请他的好友陈光甫、贝祖贻、徐新六等为史塔保险公司筹谋献策,广为宣传。不久,这家保险公司的业务果然顺利开展,大发其财,使史塔十分感激,终生难忘。

胡适在任教授和校长期间,每到星期天,总有一些青年学生来拜访。胡适谈笑风生,学生无拘无束。在任大使期间,工余假日,他有时深入到厨房与工友厨师聊家常,使工友厨师感觉温暖、亲切。

有的故乡亲友为生计所困,不远千里来找胡适谋职业,对此,胡适先在经济上适当予以周济,然后再慢慢为其设法。如万一谋职不成,胡适亦资助盘川,使其返里另寻出路。类似这样的例子甚多,在胡适的故乡——皖南绩溪的亲朋中,几乎是有口皆碑的。

胡适与张东荪的一次舌战

金克木

30年代初，北京的青年学生中传开了一条新闻：胡适要作公开学术演讲了。地点是协和小礼堂，时间是某日晚七时。胡适博士当时是北京大学的文学院长，是蒋梦麟校长聘请来的，这大概是他重到北方来放的头一炮吧？

演讲时刻一到，东单三条协和医院门外座南朝北的这所小礼堂门口挤满了人，连路上都是人头攒动。里面早就坐满了听众，还有不少外国人。演讲的题目是：《哲学是什么？》他用中国话讲了，然后又用英语讲，以便中外听众都能懂。我跟几位朋友也去赶热闹。没想到有这么多人，到晚了，只能站在门外。那时没有扩音器，礼堂小，但胡博士嗓音大，口齿清楚，时而有一句半句传到门外来，外面的人也能听到大意。其实不听也能猜到。大家不过是来看看胡博士这个人。根据他的哲学，所谓"实验主义"哲学只剩下哲学史了。北京大学的哲学系实际上是哲学史系，和清华大学的哲学系很不相同。清华的冯友兰、金岳霖都是在创造哲学体系的。两校的课程名目差不多，教学的内容可不一样。抗战时到西南联合大学里仍然是联而不合。

几天以后，又传出消息。在同一个协和小礼堂，同样是晚七时，同样兼用中文和英文，燕京大学的张东荪教授发表公开学术演讲。题目是：《哲学不是什么?》，这明显是和胡适唱对台戏的，一个要取消哲学，一个要维护哲学，当然两人对哲学的看法不一样。一个人的上帝是另一个人的魔鬼，这类辩论是永远不会有结果的。胡、张虽不是正面交锋，也算是背对背的舌战。这一次听众没有上一次拥挤了。对于哲学是什么或不是什么，一般青年那时并不关心，对久在北京的张也不如对“别来无恙”的胡有兴趣。

那时学术演讲多半是在大学校内。在校外的公开演讲大都是政治性的。胡、张对垒恐怕是仅有的校外公开学术讲演。时间大概是在“九一八”以前。

协和小礼堂是林徽因主演太戈尔英文短剧的地方，也是“北平小剧院”上演丁西林的喜剧《一只马蜂》的剧场。如今还在。

胡适与章士钊

詹云鹏

1928年8月30日，胡适在《国际周刊》发表了一篇文章，题为《老章又反叛了》，谈到他和章士钊对文言与白话之争的一段轶事。

有一天，胡、章两人在饭馆相遇，章邀胡餐毕合影一张。事后章在照片上题白话诗一首赠胡曰：

你姓胡，我姓章，你讲什么新文学，我开口还是我的老腔，你不攻来我不驳，双双并坐，各有各的心肠。将来三五十年后，这个相片好作文学纪念章。哈，哈，我写白话歪诗送给你，总算老章投了降。

胡适看后，差点误以为章"豪爽的投降"了。章要胡做一首文言诗答他，胡就写了四句：

但开风气不为师，龚生此语吾最喜；
同是曾开风气人，愿长相亲不相鄙。

实际上章的诗是在开玩笑，并不是真的投降，胡适并非未意识到这点，所以他在文章最后说："然而'行严的雅量'终是有限的，他终不免露出他那悻悻然生气的本色来，他的投降原来只是诈降，他现在又反叛了。"

至于胡适的四句文言诗，辞意倒是诚恳的，他与章士钊互相勉励：同是开一代风气的人，不要师心自用；尽管认识不同，也要"相亲不相鄙"——把文人相轻的陋习抛除干净吧！这倒是胡适的可爱处和可取之处。

张大千与陈半丁斗智

范节庵

名画家陈年，字半丁，又字静山，浙江绍兴人，工花鸟、山水，兼能治印，但性情狂傲。

张大千先生第一次来京，即往颐和园拜访溥心畬先生，一来久慕溥先生之名，二来因溥心畬先生收藏丰富（恭王府旧物），藉饱眼福。斯时张大千在上海已享有盛名，有“南张北溥”之誉。

张先生几次来京，除给荣宝斋等南纸店作画外，还在中山公园开个人画展，也给古玩铺做假画。生性狂傲的陈半丁看不起张大千，曾扬言：“张大千仿假画，瞒不过我的眼睛，一看就能识破。”后来这话传到张大千的耳里，张也扬言说：“不出三个月，叫你（指陈半丁）明白、明白。”

张大千找了旧纸仿了八开册页，仿的是清代名画家、僧人石涛的作品。之后委托南新华街张佩卿按旧式装裱，裱成后，由张佩卿作为真品售予陈半丁。

陈半丁买得册页以后，喜出望外，如获至宝，因而大宴宾朋，庆贺得宝，届时张大千亦被邀请，当众人夸赞册页之时，张却未离原位，饮茶闲坐。陈半丁见张未离原位，即走过来说：“大千兄请你观赏这本册页。”张说：“我不要看了，

这本册页是我仿的。”随即从第一开至第八开，如数家珍地述说册页的内容，毫厘不差，当时众人都瞠目结舌，而陈半丁也惊呆了，半晌说不出话来，心里明白是受骗了。从此也真的佩服张大千的画艺。此事在当时书画界传为趣谈。

张恨水与天桥

成善卿

一代章回小说家张恨水，曾经是天桥的常客。他早年在《益世报》供职的时候，每得闲暇，必到天桥一游。

《益世报》是在中国的罗马公教（即天主教）教会出版的报纸，1915 年 10 月在天津创刊。该报在北京的分馆，设在和平门外南新华街路东。张恨水担任该报文艺版主编兼校对时，投寄给文艺版的稿件，有不少是取材于天桥艺人生活的。他对天桥有浓厚的兴趣，常约二三好友或独自去天桥合意轩听大鼓书，去福海居等茶馆听评书，或者徜徉于熙熙攘攘的游人中，观察、了解形形色色的艺人和游客。他的代表作《啼笑因缘》就是在这种情况下创作而成的。

张恨水涉足的合意轩，位于天桥西市场东街，是一家阵容很强的坤书馆，主角金雪梅、伊惜兰等鼓姬，色艺双全，点曲每支大洋五角。张恨水与那些迷恋鼓姬的花花公子迥然不同，他从来不花“点曲”的冤钱，只是每听完一曲，破费几枚铜子儿而已，用他自己的话说，就是“醉翁之意不在酒”。

混杂于诸多听众之中的张恨水，在听鼓姬演唱时，确实是一位“醉翁”，其醉非在酒亦非在色，而是醉在曲高词雅，醉在洞察鼓姬与听众的内心世界，醉在捕捉各色人物的神态与动作，醉在出自大众之口的形象而生动的语言。他所塑造的沈凤喜、樊家树、沈三玄等人物，其原型无一不是来自天桥的坤书馆。

30年代初，张恨水常约成扶平、陈逸飞等文友到天桥福海居等茶馆消遣。在福海居这家大茶馆里，经常可以看到一些提笼架鸟的满族人，见面时仍然彼此请安。张恨水对满族的遗风很感兴趣，于是便约成扶平（满族镶黄旗人）撰写有关满人生活习俗的文章。不久，以《旗族旧俗志》为题的长文，便在张恨水主编的《世界日报》副刊上连载。

张恨水亦经常涉足于天桥水心亭内的武术茶社。这家茶社的创始人是北京会友镖局的老镖师李尧臣。《啼笑因缘》第一回中所撰写的水心亭那家茶馆，便是武术茶社，而那位举石锁的老者关寿峰，即为李尧臣的化身。

抗战胜利后，张恨水任《新民报》总编时，仍然于百忙中抽暇前往天桥听书看戏，其兴致之浓，不减当年。

鲁迅·鲁母·鲁夫人

张宝章

鲁迅从1912年5月来北京教育部任职起，到1926年8月南下任厦门大学教授止，在北京生活和战斗了十五个年头。他的母亲鲁瑞和夫人朱安女士也在这个时期先后来到北京定居。

鲁瑞是绍兴安桥头人，当时的青年称之为鲁太夫人或太师母。她没有正式进入学校，但自学成才，很关心时事，每天看好几份报，也看小说。她有强烈的爱国心，北京学生掀起抵制日货运动时，他甚至把自己日常用的日本伞、面盆都砸碎了。鲁迅先生曾说过："我的母亲如果年轻二三十年，也许要成为女英雄呢！"

鲁迅先生南下后，曾两次回北京看望母亲。1936年先生病逝，对老人来说真是晴天霹雳。她后来对人说："听到了这消息，我倒不哭，不过两腿抖得厉害，所以简直不能独自举步了。"但是，几天后她终于忍不住，大哭了。她说："一个女人，最伤心的是死了丈夫和孩子。""老大（指鲁迅先生）是我最心爱的儿子，他竟死在我的前头，怎么能不伤心呢！"还说："论年龄他今年已经五十六岁，也不算短寿了，只怪我寿太长！如果我死得早些，现在就什么事情都不知道了。"

鲁迅先生逝世七年之后，鲁瑞老人于1943年4月22日，在北京去世，埋葬在距西直门约十里路的板井村。村西有一块两亩多松柏林的坟地，这就是她永远安息的地方。

与鲁太夫人埋葬在一起的还有她的儿媳，鲁迅先生的原配夫人朱安女士。

朱安生于清光绪四年（1878），比鲁迅大三岁，1906年7月26日与鲁迅结婚。当时鲁迅正在日本留学，鲁瑞老人听人说他跟日本妇人结了婚，还领着孩子在神田散步呢。便对谣言信以为真，发信紧急催促他回国，并催促他结婚。出于对母亲的爱和同情，鲁迅默默地顺从了命运的安排。他怀着“母亲愿意有个人陪伴，也就随了她”的心情，和假装大脚的朱安女士按照旧式婚姻仪式结了婚。婚后第七天，鲁迅就离别妻子，和刚毕业于江南水师学堂的二弟又到了东京。此后，鲁迅过着实际的独身生活，直到二十年后与许广平女士结婚。

鲁瑞老人和朱安女士在鲁迅去世后，全靠定居上海的许广平寄款接济。朱安女士临终前，还致函许广平说：“您对我的关照使我终生难忘。”这位孤寂可怜的老人于1947年6月29日患心脏病去世，终年七十岁。遗体也安葬在西郊板井村，永远与她的婆婆作伴。

一场闹丧纠纷

颜仪民

光绪七年三月初十日(1881年4月8日),慈禧太后因患"重感冒",由慈安太后独理朝政,参加御前会议的有恭亲王奕䜣、军机大臣左宗棠、兵部尚书协办大学士李鸿藻等人。

下午,内廷忽有旨传出:慈安太后驾崩了。宫女、太监都慌了神,首领太监到长春宫回报慈禧太后;并派人出宫去传慈安的弟弟广公爷夫妇进宫……

深夜,由内奏事官传出:慈禧太后已经升殿。她召见了奕䜣、宝鋆、李鸿藻等,慈禧吩咐恭亲王说:"慈安太后不幸宾天,命各衙门官员一律挂孝。着恭亲王奕䜣、醇亲王奕譞、武英殿大学士宝鋆等人,筹备治丧事宜。

次日,由礼部具折奏呈。其行礼单中有:慈禧太后率领宫眷等,于某某日行礼;贵妃等于某某日率领福晋、命妇等行礼。慈禧阅后,勃然大怒,立即把奕䜣召来。

问:适才礼部递呈行礼单子,为什么也把我列入礼单之中?

答:把太后也列入行礼单,乃表率群臣之意。

问：慈安皇太后为太后，难道我不是皇太后？同是皇太后，为什么我给她穿孝行大礼？

答：此乃我朝家法，皇太后不可不遵。

问：遵也要遵出个道理来。

答：慈安为上母皇太后，圣母太后自应行礼。

原来慈安本是皇后，慈禧不过是个贵妃，因为生了同治皇帝，一跃而为“圣母皇太后”。她不便问下去，又召礼部李鸿藻和延续入殿。

问：东太后的行礼单中，为什么列上了我？

延续回答：“此乃遵照前例。”西太后说：“我没听说过太后给太后丧行大礼的前例。我与东太后本无大小之分，焉能给她行大礼穿重孝！假如我死在她前头，她也应该给我穿重孝行大礼吗？”延续答：“照例不行大礼！”此时西太后骤然色变，问：“为什么？”延续说：“上母皇太后是在圣母皇太后之先，臣等不得不遵章奏请……”慈禧一听，哇地一声哭了起来说：“你们眼中还有我没有？”李鸿藻接着说：“如太后不以文宗（咸丰）皇帝为皇帝，不以东宫皇后为皇后，圣母若不承认自己为文宗的西后，臣等自不列此礼单。”慈禧一听，气得一句话也说不出来，怔了半天，说：“你们下去，我去行礼。”

陈垣先生和中国地学会

宋春青

陈垣先生是著名教育家和杰出史学家。这里我想介绍一下鲜为人知的陈老和中国地学会的关系,以表达我个人对陈老的崇敬之情。

中国地学会是近代地理学家张相文先生等于清朝宣统元年(1909)在天津成立的,它是我国最早的地学学术团体。学会成立的第二年,编辑出版了我国第一种地学学术杂志,直到1937年共出版了一百八十一期。为传播和开拓我国的地学事业、宣传爱国主义思想做出了重要的贡献。1912年,中国地学会迁至北京。张相文的哲嗣张星烺担任了辅仁大学历史系的教授兼系主任。这样,身为辅仁大学校长的陈垣和张相文有了更为密切的关系。

1925—1927年,中国地学会因经费支绌,活动陷于停顿状态,《地学杂志》亦告暂时停刊。陈垣和中国地质学会副会长翁文灏及张星烺等一起,竭力设法,四处周旋,才得于1928年10月恢复活动。这年12月,中国地学会在西城兵马司地质调查所图书馆召开临时会议。因张相文曾经说过,如果有人能使地学会复活,“即将会务举以任之”,故在这次会议上张发言讲道:“此次本会复活，多赖翁咏霓（按即翁文灏）先生维持，本人为践前言，愿将会长一席让诸咏霓先生。”翁文灏当即发言说：“张会长为本会首创之人，劳绩卓著。本人此次虽参加本会复活运动，然维持者并非一人，故会长一席，本人实不敢承。”后张又请陈垣担任，陈亦“谦辞不就”。经大家讨论，仍请张相文担任会长。从上述这段历史，可以看出陈垣同张相文等人的友谊和密切的工作关系。

1933年，张相文先生因积劳成疾，病逝于北京。陈垣先生为了表达哀悼之情，特地撰写了挽联：

与君共事议曹，谠论迈时流，著述等身订元史；

偕我同襄辅校，地文精学派，渊源两世接宗传。

不言而喻，从挽联中可以了解陈垣先生对张相文先生的品格言行及学术著作的评价，他们二人的深情厚谊以及和张家两代共事之缘分等等，这里就勿庸赘述了。

李苦禅师生入狱受刑

魏隐儒

当代艺术大师李苦禅先生（1899—1983）逝

世已经七个年头，但他的爱国思想、高尚品德，以及那气势磅礴、雄伟豪放的书画作品，将永远为后人学习的典范！

业师苦禅先生热爱祖国，在日寇统治下的北平，苦禅先生高风亮节，宁肯在低工资的私立院校授课，绝不受聘到待遇优厚的伪高等院校教书。经常为友人书写对联。词曰："世事能传多具癖，人非有裕不堪贫"。在课堂上经常对学生灌输爱国思想，常说学画先学作人，人品不高，作画无法。当时，我正值青年，血气方刚，任职北平市立北下关小学校长，在先生的教育下，时有爱国激情的表露。先生为我画一张墨兰图题词曰："曾记宋人写兰而无根无土，或问之曰，奈兰无土将何以生？即曰：土被金人夺去矣！文人为社稷之怀抱如此，其伟大可知矣！"先生以题画借古喻今，并以实际行动支持和资助革命青年奔赴革命根据地，同时还掩护解放区来京治病的同志。从而引起日寇鹰犬注意，经常有吴梦松、王云豪两个特务，以交友为名来先生家串门，时而借钱，时而索画，终将先生爱国抗日和支持革命青年的行动，汇报给了日本宪兵队。

1939年5月14日的黎明，横祸飞来了。这天我留宿在苦禅先生家，天刚黎明，十几个身穿黑色长衫的日本宪兵越房入院，破门闯进房内，不容分辩，将我师生用一副手铐锁住，推上囚车，作为八路军重要案犯，关押在沙滩北大红楼底层的日本宪兵队牢狱中。师生备受酷刑，棍子打,皮鞭抽,灌凉水,压杠子,用火燎,刑讯逼供。我被皮鞭抽打得皮肉出血，遍体鳞伤，奄奄一息,昏迷过去。苦禅先生是位硬汉子,面对敌人破口大骂,坚贞不屈。日特用尽各种刑具,也未逼出任何口供；日寇老羞成怒，将先生判成死刑。

因为没有任何口供和真凭实据，敌人无法交差,最后施用大刑——上老虎凳,苦禅先生武术功力颇深,用力一挺,铁链折断一环。由于日本宪兵十分迷信,从此不再动刑,改用更奸诈的办法——交朋友。最后无条件释放出狱,还给了五十元钱的养伤费。苦禅先生铮铮铁骨,一片丹心,岂肯接受敌寇钱财?于是拂袖而归。我比先生早出狱几天,因受刑过重,加上狱中卫生条件极差,出狱即病倒,住进医院。若不是苦禅先生出狱,为我送来特效药,我恐早已离开人世,哪里还会活到今天。

千年古刹潭柘寺

穆江山

北京西郊三十多公里的门头沟区界内，有一座群峰环列的潭柘山，山腰有座有名的古刹——潭柘寺。它是北京地区历史悠久而又极负盛名的庙宇。民间素有“先有潭柘寺，后有北京城”的说法。为什么要这样说呢？如果我们从元朝把北京建为大都城说起，至今仅有八百年，而潭柘寺始建于晋代，距今已有一千六百多年的岁月了。所以说先有潭柘寺，后有北京城，不是也颇有道理吗？

随着朝代的更替，寺的名字也经过多次变

更。晋代初建时名为嘉福寺。唐代改名为龙泉寺。金朝又改名为大万寿寺。到了明朝,恢复旧名,仍叫嘉福寺。满清入主中原后,到了康熙朝又改名为岫云寺。现在悬挂于山门前的那块大匾“敕建岫云禅寺”,即为康熙皇帝手书。这座名扬中外的古寺,虽经历代改称,但因山上有“龙潭”“柘树”,人们就以其俗名“潭柘寺”流传下来了。

佛殿是依山势的高低起伏，极恰当地配合在一起。远观绿树红墙,若隐若现,层复一层,形成了一组美丽而又壮观的古建筑群，它显示出古代劳动者巧夺天工的智慧。

相传潭柘寺有十景,如:飞泉夜雨、雄峰捧日、平原红叶、万壑堆云、层峦架月、千峰拱翠、御亭流杯、九龙戏珠、锦屏雪浪、殿阁楠熏等,真是山岚吐秀,名不虚传。

过去每年从三月初一日起,开庙半月,四面八方,善男信女,游人商贩,云集于此,香火极盛。后来由于多年失修,殿堂破旧,十景蒙尘,寺僧日少,景况萧条,因此,门虽设而长关。

近由政府拨款,重新修饰,粉刷一新。中外游人,争先访古揽胜,成为京郊最理想的游览胜地之一。

德和园大戏楼

穆江山

德和园是颐和园中的一组主要建筑，大戏楼又是德和园中一座最突出的娱乐舞台，它是专供清朝帝后来园中看戏听曲的地方。

德和园原为清朝乾隆时期的怡春堂,1860年帝国主义侵华时期毁于兵燹。1492年(光绪十八年)重建后,更名为德和园。慈禧太后和光绪皇帝均在此居住多时,看过戏曲演奏。

大戏楼的风格很有特色,高21米,分为上中下三层结构,天、地、井相互沟通一体,以备演戏时随着剧情需要,上天入地,景幕变幻,均在眨眼之间显现出来。如在第一层顶板上就开了五个天井,顶部设有绞车,可以把演神仙的演员使用绞车吊上天去。地板上又有五个活动的地井和一口水井,可以把演鬼卒的演员送入地下,深井是专为演戏需要用水法时台上喷水使用的。

慈禧是个戏迷,她常以看戏来消磨光阴。每当看戏时,她一人坐在木炕上,宫女和大小太监随侍左右,敬茶供点,一刻不离。戏台东西两边用木障分为十二厢，东厢坐的是清朝宗室王公大臣;西厢是内廷显贵官员及大太监等。他们首先对老佛爷赏戏谢恩后，才能走到大红垫子上跪着看戏。光绪皇帝也只能坐在门外左侧窗台边观看，后妃等均坐在右侧窗台边观看。因此有人曾在暗中说，老佛爷看戏是“享清福”，我们看戏是“活受罪”。

大戏楼另一引人注目的是那戏楼上的匾额，如“国泰民安”、“风调雨顺”等的吉祥话。对于一块匾额、一副对联，虽说属于零星开支，但据可靠史料记载，在颐和园建筑完工后，仅用在全园各处殿、阁、亭、堂悬挂匾额和对联所需的云头、挂钩和人工料费，就开支白银十九万一千一百六十七两，难怪后来连慈禧素所宠爱的小太监寇连材（后人称为义烈太监）也因奢侈建园，甘冒死罪进谏，拂了太后的佛意，白白葬送了他小小的生命。

妙峰山的今昔

葛岳

妙峰山位于北京的西郊，山上寺庙很多，山顶的娘娘庙究竟建于何时，香火鼎盛了多少年，没有专门考据，仅就当时庙会的情况作些许描述。

在我的记忆中，每年农历的四月初一是妙峰山开始进香的日子。在这之前就有许多民间的文艺团体，如龙灯会、狮子舞会、高跷、旱船等开始排练；还有许多慈善团体，在沿途的庙宇中搭起茶棚，准备施舍茶水、枣稀饭和馒头。

进香的人称为香客，进香有各种不同的目的，有为父母或自己的病去还愿的；也有为祈求万事如意去烧平安香的；自然也有为游山玩水和体验生活而去的。

去妙峰山，先乘汽车到兆安河，然后步行到妙峰山灵感宫碧霞元君祠，计五站四十里。每站皆有茶棚，各备茶水、食品、香烛、修鞋、施药等。每座寺庙的门前都是锣鼓喧天，热闹异常。进庙之后在大殿前磕了头，才能享受到施舍的饮料和食品。

入夜，山路上灯火通明，直通山顶的路像一条火龙，远远望去，顶峰的娘娘庙挂着长长的一串红灯，而庙的上空香烟缭绕，火光照天，甚是壮观。

涧沟，这个小小的山村，是三条香道的会合处，村民每年最大的收入是接待香客。这里食品、玩具、用品、香烛等应有尽有。再往上登就是回香亭，直通山顶。在这段路上曾见到一件令人难以忘怀的事。一位身穿红衣红裤的男子走一步跪下翻一次砖，磕一个头，他的身边有两个壮年人，用一条黄色的长搭布捆在拜香人的腰间，每次跪下之后都需要这两人将他拉起，步履十分艰难，有不少好心人抢过砖扔出几步远，他就可以走几步，少跪几次。直到娘娘庙的门前又有人抢过砖抛入殿前的大香炉。拜香人才走到蒲团上去跪拜，算还了因母亲大病所许下的愿。

娘娘庙中可供食宿。晚饭后，人们在黄昏中观看山景时，又看到了另一种场面。一个白胖胖的中年僧人，身披大红袈裟，手拈着佛珠在散步，在他的身后跟随着一群珠光宝气、穿着华贵的妇女，也都挂着佛珠，走到一座宝塔前在议论着什么。据说前者是庙中的方丈，广济寺的住持，为段祺瑞之弟；后者是在庙中助善的小姐、太太们。

妙峰山曾经热闹多年，现在已作为旅游胜地开放了。

敕建弘恩禅寺

沈书权

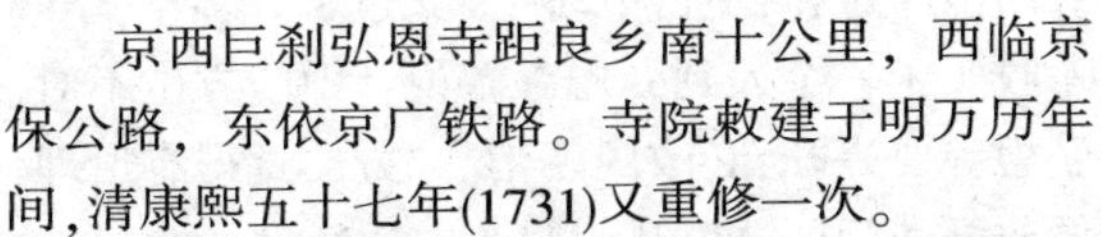

京西巨刹弘恩寺距良乡南十公里，西临京保公路，东依京广铁路。寺院敕建于明万历年间，清康熙五十七年(1731)又重修一次。

弘恩寺历来为佛教圣地，据说又是明末崇祯皇帝第三子(人称“朱三太子”)出家之地。当年农民起义军领袖李自成推翻明王朝，崇祯皇帝从故宫北门逃至景山自缢身亡，传说朱三太子由王承恩背逃出城，从此在弘恩寺出家，削发为僧。李自成当皇帝后，在金銮宝殿上发现崇祯遗书,上写“能杀吾三宫六院,莫杀一个百姓”,觉得崇祯还算明君,后听说其三太子流亡他乡,便派人查寻,终在弘恩寺找到。使臣劝三太子回京,太子不允,宁愿为僧。后来,李自成赐给弘恩寺半副銮舆,又割地三百六十顷做为庙产。并在弘恩寺门前树有“下马石”,上刻“文官到此下轿,武官到此下马”。弘恩寺从此更加兴旺了。

弘恩寺座北朝南, 前后五进殿宇, 规模宏大,雄伟壮丽,碑碣林立,松柏苍劲,四周围以高大的灰瓦红墙。远远望去,酷似北京紫禁城之一角,给人以庄重雄浑之感。

弘恩寺早期的山门并非向南,而是向西开。关于山门改向问题, 还流传着一个有趣的民间传说。

据说,清末直隶总督、北洋大臣李鸿章从保定去北京,弘恩寺是必经之路。传说李总督每次进京途经弘恩寺山门前下轿,十分不便。于是,他命人在弘恩寺东开辟新路一条,再进京不从弘恩寺门前经过,就免得下轿了。又过了许多年,李鸿章收买了一个人到弘恩寺游说:“山门方位不对,弘恩寺要兴旺,必改门朝南。”方丈觉得有道理,便改开南门。这就是山门改向的经过。

北京的古娑罗树

张宝贵

在北京的古树中，有一个鲜为人知的树种，那就是娑罗树。娑罗树又名七叶树，是落叶乔木。它的叶子形呈掌状，分为七瓣。花白色，在五六月份开放，果实犹如橡栗。娑罗树原产于印度，因传说佛教祖先释迦牟尼圆寂在这种树下，故得此名，成为佛门宝树。

北京栽植娑罗树的历史悠久，但数量不多，现存的古娑罗树极少。北京最著名的古娑罗树，过去要数卧佛寺的两棵了。这两棵树是在唐贞观年间修建卧佛寺（当时叫兜率寺）时，从印度移来的。据明刘侗、于奕正合著的《帝京景物略》中记载，这两棵树为京师七奇树之一，“大三围，皮鳞鳞，枝槎槎，瘿累累，根搏搏，花九房峨峨，叶七开蓬蓬，实三棱陀陀，叩之丁丁然。”蒋一葵著《长安客话》中描写“寺内有娑罗树二株，可数围，其子如橡栗……诸山皆无”。遗憾的是这两棵树早已死掉，现在三世佛东侧南北的两棵娑罗树是后来补栽的。

北京现存的娑罗树要数潭柘寺的四棵最古老了。当游人漫步在山门前的下塔院处，就看见在塔林丛中，巍然屹立着两棵巨大的鳞片斑斑

的古树，那就是娑罗树。它们高达20米，干径达2米多，按它们的径粗推算，少说也有八百多年的历史了（此二树无树龄记载）。寺内的毗卢阁前，也有两棵古娑罗树。

龙虎山揽胜

章长炳

丙寅(1926)十二月初，笔者受黄维将军之托，到江西贵溪公干，并应邀游览龙虎山。

龙虎山位于江西鹰潭市南郊二十公里处的贵溪县境内，是一座名闻中外的道教圣地。此山原名云锦山，相传我国东汉时期道教始祖张道陵（俗称张天师）曾在此山炼丹修道，且有青龙白虎环绕山间，于是，张天师遂将此山改名为龙虎山，至今已有一千九百余年历史。世袭第六十三代张天师于1949年初流亡海外，至今未归。笔者游览天师府时，承蒙导游介绍，获悉天师道教义远播欧美，盛传东南亚。贵溪县境曾先后建有十大道宫、八十一座道观、三十六座道院。座落贵溪上清镇的太上清宫是我国规模最大、历史最久的古老道宫之一。宫西二里的嗣汉天师府是历代张天师的起居之所，规模宏大，庄严肃穆。山下有一条上清河，笔者游罢天师府，在导游的陪同下，乘兴泛舟在上清河中，欣赏两岸的秀丽风光。当地人称上清河为小漓江,笔者身临其境,果然名不虚传。

龙虎山古迹甚多，尤其是春秋战国时期深嵌在上清河两岸山岩缝中的墓穴,不但集中,而且多达百余座。墓下悬崖,墓上绝壁,无法攀登,造型奇特,为古今中外所罕见,有些考古学家费尽心机,对这些古墓进行研究,从墓中发掘的纺织机、丝织品、十三弦琴和陶瓷等珍贵文物,为我国历史学、考古学、人类学提供了丰富的历史研究资料。

龙虎山悠久的道教历史和秀丽的山光水色,使历史上许多文人墨客曾来此地寻幽访胜。如王安石、曾巩、文天祥、宋濂等均在此留下大量的诗词墨迹,成为极珍贵的文化遗产。

笔者乘舟自上清镇顺流而下至水仙岩,两岸奇峰突兀,怪石嶙峋,白鹭成群盘旋飞翔,似向游人致意。岸边有一石碑,上刻古诗一首云:“重到西溪路,渔舟入翠微,青山花里出,白鹭镜中飞。”真是诗情画意,美不胜收。笔者亦有置身尘世外,人在画图中之感。

后　记

《新编文史笔记》丛书北京分册《京华风物》，在北京文史研究馆全体同仁的共同努力下，终于问世了。

北京文史研究馆馆员皆为社会耆宿和文化界的知名人士，平均年龄约在七十岁以上。他们阅历丰富，饱经沧桑，是我国近代史的见证人。因而，他们所撰的史料多为亲见、亲闻、亲身经历的"三亲"史料，少数虽非"三亲"，但也言之有据，弥足珍贵。

本书共收集一百一十余篇文章，设中华儿女、耆年忆旧、史海拾贝、人物春秋、艺林奇葩、古今纵谈、雪泥鸿爪、丹青妙笔、工商史话、遗闻轶事、山川胜迹等共十余个栏目，历史跨度上溯清末，下迄中华人民共和国成立，内容涉及我国社会的方方面面，读后发人深思，催人奋进。

本书在编辑过程中得到北京大学、中国人

民大学、北京师范大学及各有关单位的大力协助，在此谨致谢忱。本书的编委会由章长炳、宁玉环、丁岚生、颜仪民、连湘组成，杨遇泰、王大炜、纪引参加了编辑工作。

由于编者水平有限，在个别史料上难免有不尽翔实之处，尚希海内外有识之士不吝赐教，是所至盼！

编　者